Pedolau Dros y Crud

Aled Islwyn

Gwasg Gomer
1986

Argraffiad Cyntaf — Gorffennaf 1986

ISBN 0 86383 287 3

ⓗ Aled Islwyn, 1986

Dymuna'r cyhoeddwyr gydnabod cymorth a chyfarwyddyd Adrannau'r Cyngor Llyfrau Cymraeg a noddir gan Gyngor Celfyddydau Cymru.

Argraffwyd gan J. D. Lewis a'i Feibion Cyf.,
Gwasg Gomer, Llandysul, Dyfed

Cyflwynedig i Ioan a Carol
gyda diolch

Rhan I

Y Fam

1

Arhosodd Paul i'r hers fynd heibio. Yna aeth i ganol y lôn ac aros i'r tri char du ei ddilyn. Gwelodd Liam Coles yn eistedd yn gefnsyth a gwelw yng nghefn y cyntaf o'r ceir. Gwisgai siwt syber ac eisteddai gwraig ganol oed yn ei ymyl.

Ar ôl i'r osgordd basio camodd Paul yn gyflym o flaen y cerbyd nesaf yn y rhes a ddilynai'r angladd. Byddai llawer o regi ar gownt gweddillion Mrs Coles, meddyliodd Paul. Pethau sâl am feithrin amynedd oedd yr ymwelwyr 'ma. Dim ond diwedd Ebrill oedd hi byth. Da o beth iddi farw rŵan yn hytrach na dal tan i'r haf fod ar ei anterth. Roedd yna ddigon o dagfa'n barod. Ceir ym mhobman. Ceir ymwelwyr. Roedd y pentre'n ferw ohonynt eisoes.

Penderfynodd ddilyn y llwybr dros y twyni yn hytrach nag aros ar y pafin cul a gydredai â'r ffordd fawr. Aeth heibio i Stable Garage (oedd ar gau), y maes carafanau (oedd ar agor) a'r môr (oedd allan).

Daeth yn fuan at y bwthyn *prefab* oedd yn gartref iddo.

Neidiodd yn egnïol dros y ffens ac i ardd ddestlus ei dad. Gan gamu'n gyflym i lawr y llwybr, roedd, o fewn chwinciad, wrth ddrws y cefn. Aeth i mewn i'r gegin fach.

'Mam!' gwaeddodd yn uchel.

Dim ond unwaith yr oedd angen gweiddi felly yn y cartref hwn gan mor denau oedd y parwydydd. Ond ni ddaeth ateb. Yna clywodd sŵn dŵr yn rhedeg i'r bath.

'Paul, ti sy 'na?' daeth llais ei fam wrth iddo basio drws yr ystafell ymolchi.

'Na. Jack the Ripper,' atebodd yntau gan guro ei ddyrnau ar bren y drws cyn cerdded yn ei flaen i'w ystafell wely.

'Hogyn gwirion wyt ti,' meddai hithau. 'Dwyt ti ddim yn mynd i roi rhagor o'r recordia 'na ymlaen, gobeithio, wyt ti? Byddaru'r tŷ 'ma'n lân. Gad imi gael bath mewn heddwch, da ti.'

Cerddodd Paul yn siomedig yn ôl at ddrws yr ystafell ymolchi.

'Ond wna i mo'u chwarae nhw'n uchel.'

'Mae chwarae'r sothach petha 'na o gwbl yn gyfystyr â'u chwarae nhw'n uchel.'

'Mi ddo i i mewn i sgwrio'ch cefn chi os ydach chi isho. Wnewch chi ddim sylwi ar y sŵn wedyn.'

'Rheitiach iti chwilio am waith na hel dy draed o gwmpas y lle 'ma yn gwneud niwsans ohonat dy hun.'

'O! Dyna hi eto. Mi rydach chi'n gwbod fod fy enw i lawr efo'r *Job Centre* yn y dre. Mi ffonian nhw fi os fydd yna rywbeth ar gael.'

'Mi fydda swnio'n awyddus yn help, decyn gen i.'

'Peidiwch â dechrau rŵan, Mam, neu mi ddo i i mewn a dal eich pen chi dan y dŵr 'na.'

'Mae'r drws ar glo gen i.'

'Rydach chi'n siarp uffernol bore 'ma, yn tydach? Finna ar fin gofyn am eich iechyd chi.'

'Tipyn o bendro y bore cynta, ond rwy'n well rŵan, diolch iti. Dyna pam na wnes i ddim codi. Welist ti dy dad off i'w waith? Gafodd o frecwast iawn?'

'Doedd o ddim isho fawr ar y tywydd cynnes 'ma. Ac fe welith hi ei fod o'n cael tamaid yn ystod y dydd.'

'Pwy?'

'Y *fancy piece* 'na sy gynno fo yn y *depot*, siŵr iawn.'

'Pwy?' Yna clywyd sŵn sbwng yn disgyn i'r dŵr gyda sblash. 'O! Y ffwlbart gwirion â thi. Mi farwa i un diwrnod pan fyddi di'n tynnu 'nghoes i. Wedyn mi fydd yn edifar gen ti.'

Deuai chwerthin direidus y llanc drwy'r drws.

'Ga i roi'r tegell i ferwi erbyn y dowch chi o'r bath?'

'Ia. Dyna hogyn da. Dwyt ti ddim yn ddrwg i gyd. Ac mi ddoth yna lythyr oddi wrth dy chwaer y bore 'ma.'

'Bobol bach! Sul y Pys oedd hi Sul d'wetha, deudwch?'

'Rŵan. Does dim isho bod fel'na, nac oes?'

'Rown i'n dechrau meddwl nad oeddan nhw'n dysgu plant sut i sgwennu pan oedd hi yn yr ysgol.'

'Ffonio fydd hi fel arfer, siŵr. Gwell ganddi ffonio na sgwennu. Ond mae ganddi lun o'r hogia roedd hi am inni ei gael. Felly mi sgwennodd bwt y tro hwn. Un digon bychan ydy o hefyd.'

'Un o'r petha *Polaroid* 'na, siŵr o fod.'

'Y llythyr, y lembo! Y llythyr sy'n fychan, nid y llun. Nid fod y llun fawr o faint 'chwaith, o ran hynny. Cymer olwg arnyn nhw. Mae'r amlen ar ben y *fridge*, rwy'n meddwl. Ac fe roish i'r llun ar ben y teledu. Tyfu maen nhw hefyd!'

Aeth Paul i'r gegin i ddechrau. Roedd ei fam yn llygad ei lle ynglŷn â hyd y llythyr.

11

''Dyma lun o Mathew a Mark. Gobeithio eich bod chi'n iawn i gyd. Ffonia i ddiwedd yr wythnos, Rhiannon.''

Un felly oedd ei chwaer. Byr ac i bwrpas. Hyd yn oed o ran corff roedd hi'n fyr ac yn blaen, o'r hyn y gallai Paul ei gofio amdani. Nid oeddynt yn agos o gwbl. Gormod o flynyddoedd rhyngddynt. Efallai y buasai yna fwy o bontio wedi bod rhyngddynt fel plant petai ei chwaer arall wedi byw, ond nid oedd Paul hyd yn oed wedi gweld honno gan iddi farw dair blynedd cyn ei eni ef.

'Roist ti'r tegell 'na i ferwi eto, Paul?' galwodd ei fam.

'Rwy'n gwneud rŵan.'

Gwnaeth Paul hynny. Diferodd peth o'r dŵr o'r tap ar hyd ei law a sychodd hi yn ei *jeans* wrth gamu trwodd i'r lolfa fechan lle roedd llun ei neiaint yn pwyso ar ffrâm llun ohono ef ei hun ar ben y teledu. Llun ohono'n fabi oedd y llun ohono ef. Casâi Paul ef.

Rhoes y llun o'r ddau fachgen yn ôl ar bren ffug y teledu ac aeth yn ôl i'r gegin.

'Dyma'ch paned chi,' meddai toc, pan ddaeth ei fam i mewn i'r gegin yn ei hen ŵn gwisgo.

'Diolch, 'machgen i.'

'Ydach chi wedi bwyta heddiw, Mam?'

'Do, was. Mi ges i frechdan tra rown i'n disgwyl i ddŵr y bath gynhesu.'

'Ydy'r boilar 'na wedi bod yn giami eto heddiw?'

'Na. Ddim felly.'

'Wn i ddim pam na chym'rwch chi a Dad y cynnig

12

'na ar dŷ cyngor yn y dre. Lle dros dro oedd hwn i fod a dyma chi wedi treulio oes yma.'

'Beth wnaen ni yn y dre, Paul bach? Diolch iti am y baned 'ma. Mae'n dda.'

'Mi fuasa'n nes at y *depot* yn un peth. Sbario i Dad orfod codi ganol nos, fel y bydd o yn y gaeaf.'

'Ond fan'ma mae ein gwreiddia ni. Yli faint o waith mae o wedi'i neud yn yr ardd. Anialwch tywodlyd oedd yma ddeng mlynedd ar hugain yn ôl. A ph'run bynnag, rhyw chwe blynedd sy 'na tan fydd o'n ymddeol. Wedyn, pa dda fydda inni fod yn y dre?'

Nid oedd ateb gan Paul. Gadawodd ei gwpan ar y sinc ac aeth i'w ystafell i chwarae recordiau. Ond cyn pen llai na phum munud daeth ei fam i mewn a gofyn, 'Oes rhaid inni gael y sŵn 'na?'

'Ddim yn un o ffans mwya Bruce Springsteen, ydach chi?'

'O! Dyna'i enw fo, ia?'

'Ia. Hwnna,' ebe Paul, gan godi ei fys at y poster ar y mur. 'Os edrychwch chi'n ofalus mi allwch chi weld y blew o dan ei gesail chwith o.'

'W! Y mwnci gwirion i ti!'

'Mae rhai'n deud ei fod o'n edrach fath â James Dean. Siawns nad ydach chi'n cofio mopio ar hwnnw.'

'Fopish i erioed ar neb ond dy dad. A hyd y galla i gofio doedd 'na fawr o sôn am James Dean tra oedd o'n fyw. Wedi iddo farw ddaru nhw ei ddyrchafu o'n dduw. Rŵan, ga i droi'r hyrdi-gyrdi 'ma i lawr neu cha i ddim? Rwy isho clywed y newyddion ar Radio Cymru am un ar ddeg.'

'Mi glywish i o amsar brecwast. Rhyw actores o America wedi rhedeg i ffwrdd efo *tennis player*. A phêldroediwr enwog yn mynd i gael ei dderbyn i'r orsedd yn Steddfod ym mis Awst. O! Ia. Ac mae 'na dŷ haf arall wedi ei roi ar dân, draw wrth ochra'r Garn.'

'Esgob, oes 'na? Pwy gebyst sy wrthi, dŵad?'

''Run gair am godiad y bunt, diweithdra na'r Trydydd Rhyfel Byd.'

Troes ei fam fotwm y peiriant recordiau wrth i Paul siarad.

'O! Mam!'

'Gei di eu chwarae nhw nerth eu penna fory. Ond dyro dipyn o ras inni heddiw, wir.'

'Fory? Lle fyddwch chi fory?'

'Rwy'n mynd ar y trip 'ma i Gaer efo Gwragedd Hermon. Mi ddeudish i wrthyt ti wythnos diwethaf. Dwyt ti'n gwrando dim arna i.'

'Efo gwragedd Hermon! Dydach chi heb d'wyllu drws capal ers blynyddoedd. Wel! Ar wahân i gnebrwng Nain!'

'Ella wir! Ond yn Hermon rydan ni'n aeloda. A phan welish i Bronwen Bowyer yn Spar y diwrnod o'r blaen, bron nad oedd hi'n crefu arna i i neud trugaredd â hi. Felly, mi brynish i docyn. Wel! Mi fydd yn ddiwrnod rhad yng Nghaer, yn bydd?'

A chyda hynny, aeth am y drws, yn union fel roedd y canwr yn dod at ddiwedd ei gân.

'O! Ia!' tarfodd Paul ar y tawelwch byr. 'Un pwt bach diddorol arall ddoth ar ddiwedd y newyddion.'

'Be rŵan?'

'Mae'n addo glaw fory.'

14

'Diolch, was. Diolch o galon. Wn i ddim be wnawn i hebot ti!'

Ac ar hynny, dechreuodd nodau cân newydd. A chwibanodd Paul i'w chyfeiliant.

Er ei fod wedi bod yn yfed gyda'r hogiau yn nhafarndai'r dref ers blwyddyn neu ddwy, nid oedd Paul wedi t'wyllu drws y Neptune erioed o'r blaen.

Gŵr y tŷ oedd y tu ôl i'r bar pan aeth i mewn ac nid oedd yr un enaid byw arall yno o gwbl.

Gofynnodd Paul am beint o gwrw ac fe'i cafodd yn ddi-lol, ond byr fu ei fuddugoliaeth, canys nid oedd prin wedi cael cyfle i'w wneud ei hun yn gysurus yn un o'r cadeiriau breichiau yn y gornel pan ddaeth Mrs Jones, gwraig y tafarnwr, o'r gegin.

'Sgiwswch fi'n gofyn, yntê,' ebe hi'n goeglyd, 'ond Paul Tyddyn Traeth wyt ti, yntê?'

Sbiodd Paul arni'n hurt ar draws yr ystafell heb ei hateb.

'Paul Shellmain wyt ti?'

'Ia.'

'Ia. Rown i'n meddwl. Wel! Allan â thi. Sgen ti ddim hawl i fod yn fan'na a dwyt titha ddim mor ddiniwed nad wyt ti'n gwbod hynny heb i mi orfod deud. Faint wyt ti rŵan? Un ar bymtheg? Dwy ar bymtheg? Ia. Dwy ar bymtheg wyt ti. Tair blynedd yn iau nag Eifion ni. Rwy'n cofio'r haf gefaist ti dy eni yn iawn.'

'Ychydig wythnosa sy tan 'y mhen-blwydd i.'

'Llongyfarchiada. Tyrd yn ôl ar y diwrnod mawr ac mi gei di'r peint cyntaf am ddim. Yn y cyfamser

15

allan. Richard!' ebe hi wedyn gan droi at ei gŵr, 'be haru ti'n syrfio hwn?'

'Mae'n ddigon gwag yma,' meddai Paul. ''Swn i'n meddwl y basach chi'n falch o gael cwsmer yma o gwbl.'

'Llai o dy dafod di hefyd, 'ngwas i. Rwy i wedi clywed na fuasa neb yn dy alw di'n swil.'

'Rhaid i bawb ofalu amdano ei hun yn y byd yma, Mrs Jones.'

'Llai o siarad a mwy o yfed os wyt ti am orffen y peint yna. Mi fyddan nhw yma o'r cnebrwng toc,' ebe'r tafarnwr.

'Yna tyrd trwodd i'r gegin iti gael mynd allan trwy ddrws y cefn,' ychwanegodd Mrs Jones.

Llyncodd Paul yn awchus rhag siomi'r ddau.

2

Ymatebodd gyrrwr y cerbyd yn ffafriol i fawd Paul a rhedodd y llanc ar hyd y palmant cul.

'Diolch,' meddai yn Saesneg wrth gamu i mewn i'r Range Rover.

'I'r dre wyt ti'n mynd?' gofynnodd y dyn.

'Ia.'

'Gwisg dy wregys 'ta. Cofia'r gyfraith.'

'O! Ia! Mae'n ddrwg gen i.' Ufuddhaodd Paul wrth siarad ac ailgychwynnodd y gyrrwr yr injan. Cadwodd Paul ei olygon ar y caeau. Roedd yn gas ganddo orfod siarad.

'Golygfa dda o gerbyd uchel, on'd oes?'

'Oes,' cytunodd Paul. 'Ond rwy i wedi arfer â chael lifft mewn bws ar hyd y ffordd hon. Mae bws yn uwch na Range Rover hyd yn oed.'

'Ydy. Digon teg.' Ildiodd y dyn â gwên yn ei lais.

Trodd Paul i edrych yn iawn ar ei gymwynaswr. Roedd tua phymtheg ar hugain oed neu hyd yn oed yn hŷn efallai. Ond ar yr olwg gyntaf edrychai'n iau. Gwallt trwsiadus a siwmper dynn, liwgar a ffasiynol.

'Chi sy'n byw yn Hendre Dywod, yntê?' gofynnodd Paul yn Gymraeg.

'Ia. Un o lancia'r pentre wyt titha? Rown i wedi tybio mai aros yn un o'r gwersylloedd carafana roeddet ti.'

'Na. Un o'r brodorion *boring* ydw i,' atebodd Paul yn sinigaidd.

'Pam wyt ti'n deud hynny?'

'Wel! Be sy yn yr ardal 'ma i mi? Dim. Dim gwaith. Dim gobaith o waith. Twll rhwng môr a mynydd. Dyna i gyd ydy'r lle 'ma. Dyna ddaeth â chi yma, mae'n siŵr. Prydferthwch y wlad ac ati. Gwneud eich ffortiwn tua Chaerdydd 'na a dod i fan'ma i ymddeol yn gynnar.'

'Bobol bach! Lle cest ti'r argraff honno?'

'Sgwennwr 'dach chi, yntê? Rwy i wedi clywed pobl yn sôn mai rhywun sy'n sgwennu i S4C brynodd Hafod Dywod. Mel Jones ydy'ch enw chi, yntê?'

'Ia. Ond doeddwn i erioed wedi sylweddoli fod enwa ar y *credits* yn aros yng nghof pobl. Finna'n meddwl 'mod i'n cadw fy mhreifatrwydd.'

'Hy! Camp ichi gadw cyfrinach yn y fro hon! Roedd Hafod Dywod ar werth am sawl blwyddyn cyn ichi ddod.'

'Dim ond y tŷ a'r tai allan brynes i, wst ti.'

'O! Rwy'n gwbod hynny,' atebodd Paul yn wybodus. 'Mi brynodd fferm Hafod-yr-ŵyn y tir flynyddoedd yn ôl. Mi fydd gennych chi ddigon i'w neud, yn bydd. Y tŷ, rwy'n ei feddwl. Doedd yr hen Miss Morris ddim yr hyn fasach chi'n ei alw'n *house-proud*.'

'Na,' chwarddodd Mel. 'Roedd yno dipyn o lanast, ond rwy i wedi gneud llawer yn barod. Tynnu walia i lawr, plastro, rhoi gwres canolog i mewn.'

'Mae yno ardd anferth hefyd, on'd oes? Pan oedden ni'n blant mi fydden ni'n arfer mynd i mewn i'w pherllan hi i chwarae Tarzan yn yr anialwch.'

'Ydy. Mae fan'no'n mynd â'm hamser i hefyd. Anodd ei dal hi yn y tŷ, ar y tir ac wrth y teipiadur.'

'Ydach chi'n dal i sgwennu?'

'Ydw. Yn Lerpwl rown i'n byw ddiwethaf cyn dod yma, gyda llaw. Fûm i erioed yn byw yng Nghaerdydd. Mae'n ddrwg gen i chwalu'r myth.'

'Ydach chi isho help?'

'Efo beth?'

'Adeiladu. Yn yr ardd. Wn i ddim. Rhywbeth fedra i neud. Am bunten neu ddwy, wrth gwrs. Siawns na fedra i gymysgu sment neu rywbeth.'

Gwenodd y gyrrwr wrtho'i hun, heb ateb am eiliad neu ddwy.

'Croeso iti alw acw. Mae 'na adega pan fedrwn i neud efo help, mae'n wir. Ond sgen i ddim gwaith llawn amser i neb, iti gael dallt!'

'O! Na! Trefniant bach preifat rown i'n feddwl. Awr neu ddwy yma ac acw i ennill ceiniog neu ddwy at y pres dôl.'

'Iawn 'ta.'

'A be ydy'ch bwriada chi efo'r tai allan? Mae yno dipyn ohonyn nhw.'

'Oes.'

'Eu troi nhw'n *chalets* wnewch chi, a chadw pobl dros yr haf?'

'Dim diolch.'

'Ond mae'n bechod eu gadael nhw'n segur, yn tydy?'

'Wel! Mi fûm i'n meddwl dechrau ysgol farchogaeth. Merlod a phetha felly.'

'Roedd 'na un yn y pentre unwaith. Lle mae Stable Garage. Rhaid nad oedd y lle hwnnw'n talu. Dyna pam newidiodd Coles y lle yn garej.'

'O! Wel! Dim ond syniad oedd o. Syniad ffrind imi, a deud y gwir.'

'Angen lot o lwc arnat ti heddiw i sefydlu unrhyw fusnes.'

'Siarad o brofiad wyt ti? Mab i ryw ŵr busnes llwyddiannus wyt ti?'

'Rargol na. Gyrrwr bysys ydy 'nhad. Wel! Ar y reilwe roedd o tan iddyn nhw gau'r lein. Ers hynny, mae o ar y bysys. Mi fydd yn ymddeol toc er mawr ryddhad iddo. Mae o allan o'i gynefin efo'r hen fysys 'ma. Ni sy'n byw yn y *prefab* bach 'na sydd rhwng y ffordd fawr a'r môr.'

'Mi wn i. Rwy i wedi'i weld o. Faint fyddi di yn y dre?'

'Wn i ddim. Hel fy nhraed fydda i, dyna i gyd. Mi af i am ddiod, ella. Lle fyddi di'n mynd am ddiod? I'r Neptune, mae'n debyg?'

'Honno ydy'r dafarn pen arall y pentre, ia?'

'Ia.'

'Mi es i yno unwaith neu ddwy ond cael fawr o flas ar y lle. Rydan ni wedi bod i rai o'r pentrefi ymhellach i fyny yn y mynyddoedd unwaith neu ddwy. Mwy o naws Cymreig yno. Canu ar nos Sadwrn ac yn y blaen.'

'Pwy ydy "ni"?'

'Ffrind imi sy wedi bod yn dod draw i roi help llaw gyda'r gwaith bob penwythnos. Jon. Ar y ffordd i'w gyfarfod o oddi ar y bws o Fangor ydw i rŵan.'

'O!'

'Hoffet ti lifft adre? Mi fyddwn ni yn y dre am ryw awr yn nôl pethe at y Sul.'

'Na. Mi ga i bàs adre gan Dad, diolch iti. Ar y bws.'

Roeddynt bellach ar y rhiw a arweiniai i lawr at sgwâr y dref. Wrth edrych trwy'r ffenestr ar y dorf, nid adwaenai Paul neb. Dieithriaid oeddynt oll.

'Ga i dy ollwng di yma?' gofynnodd Mel pan oeddynt newydd droi oddi ar y brif ffordd i gyfeiriad yr orsaf fysiau.

'Diolch.'

'Fe'th wela i di'n fuan, felly. Jest galwa. Cofia rŵan.'

'Diolch,' ebe Paul gan ddisgyn o sedd uchel y cerbyd.

'Gyda llaw,' ychwanegodd Mel wrth ffarwelio, 'ti'n gwbod y Coles 'na oedd piau'r ysgol farchogaeth. Hwnnw oedd yn claddu ei wraig heddiw?'

'Ia,' atebodd Paul.

'Rown i'n meddwl braidd.'

Caeodd Paul y drws yn glep. Gyrrodd Mel i lawr y stryd a thua'r orsaf.

3

'Roedd Mam a Dad yn gandryll,' ebe Paul gan gnoi darn mawr o'i deisen.

'Oes ots gen ti ei bod hi wedi 'madael â'i hail ŵr?' gofynnodd Mel.

'Dim llawer,' atebodd Paul trwy ei fwyd. 'Ond wn i ddim lle rydan ni'n mynd i'w rhoi nhw i gyd. Mark a Mathew a hitha.'

'Roddodd hi ryw reswm?'

'Naddo. Wel! Dwy i ddim yn credu. Efo Mam siaradodd hi. Mi ddeudodd hi fod petha wedi bod yn mynd o chwith ers tro. Fi oedd y person olaf i gael gwybod, fel arfar.'

'Dwyt ti ddim yn agos ati?'

'Rhiannon? Rargol, nac ydw. Erioed wedi treulio mwy na chwarter awr yn ei chwmni heb inni redeg allan o betha i'w deud.'

'Rhywbeth tebyg oedd hi rhwng fy chwaer a minna hefyd.'

'Petai hi ddim yn gallu newid naws tŷ ni a hitha mor bell i ffwrdd fydda fawr o ots gen i. Mam a Dad yn biwis trwy'r min nos neithiwr ar ôl iddi hi ffonio. Esh i lawr i'r pentre i weld rhai o'r hogia.'

'Ac fe ddoist ti yma heddiw i ddianc rhag yr un peth.'

'Do. Wel! Hynny a gweld ei bod hi'n ddiwrnod reit braf ac y byddai'n gyfle i wneud tipyn o waith yma.'

'Rwy'n ddiolchgar iti. Dyma'r trydydd diwrnod yr wythnos hon. Bydd rhaid i mi ddechrau talu cyflog undeb iti toc.'

'Wel! Mae gen ti gymaint i'w wneud, on'd oes? A heddiw, mae'n well gen i fod yma na gartref. Rwy'n oedi mynd achos mi fyddan nhw wedi cyrraedd erbyn hyn.'

'Paned arall 'te?'

'Na. Dim diolch. Neu dim ond piso fydda i.'

Cododd Mel y tebot pridd oddi ar y bwrdd ac aeth draw at y sinc.

'Mae croeso iti.'

'Oes, rwy'n gwbod, ond mae'n well imi hel fy nhraed. Rwyt ti wedi bod yn brysur yma hefyd, yn do?' ychwanegodd Paul gan edrych o'i gwmpas ar ôl codi o'i gadair.

Roedd un hanner llawr isaf y tŷ wedi ei droi'n ystafell anferth. Lolfa gysurus, fodern oedd y rhan helaethaf ohoni, gyda'r cerrig noeth wedi eu glanhau ar un wal a'r tair arall wedi eu peintio'n wyn.

Uned eang gynhwysfawr oedd y gegin yn y gornel arall, lle bu'r ddau yn cael paned o de a rhywbeth i'w fwyta ar ôl prynhawn o waith.

'Ti wnaeth y dodrefn 'ma i gyd?' gofynnodd Paul wedyn.

'Gyda help gan 'nhad. Wel! Y fo wnaeth y rhan fwyaf o'r gwaith. Crefftwr ydy o. Saer. Ond fi gafodd y rhan fwyaf o'r petha i'w lle.'

'Joban bach daclus. 'Tasat ti'n gweld lle ni! Does fawr ddim wedi ei neud acw ers adeiladu'r arch!'

'Bydd rhaid iti fwrw ati.'

'Bydd.'

'Pryd wela i di nesaf?'

'Fory, synnwn i fawr. Mi fydda i'n falch o fynd o dan draed.'

'Does dim rhaid iti, wst ti. Rwyt ti i fod yn ddi-waith. Beth fydd dy fam a dy dad yn ei ddeud a thitha'n dod yma i labro bob prynhawn?'

'Ond mae gen ti gymaint i'w neud. Ydy'n well gen ti imi beidio â dod?'

'Na. Wnes i ddim deud hynny.'

'Na. Rown i'n meddwl mai dim dyna roeddet ti'n ceisio'i ddweud. Prin wedi dechrau ar y gwaith i fyny'r grisiau rwyt ti. Pum stafell wely a dim ond un ohonyn nhw sy'n edrych yn debyg i stafell wely. Does dim styllod ar lawr dwy hyd yn oed.'

'Na. Mi godes i nhw. Y pren yn dechrau pydru, meddai 'nhad. Ond sut gwyddost ti?'

'Mi gym'rish i sbec pan es i i'r tŷ bach.'

'O!'

'Does dim ots gen ti?'

'Na.'

'Wel! Gwell i mi ei throi hi. Ble roish i 'nghôt, dwêd?'

'Dacw hi'n hongian yn y cyntedd 'na.'

Wrth siarad aeth Mel allan i nôl y gôt.

'Angen bath arna i hefyd. Mae'r crys T 'ma'n drewi.'

'Cymer gawod yma os mynni di,' cynigiodd Mel, gan estyn ei gôt iddo. 'Fy ngwaith i wnaeth iti chwysu. Tydy o ddim ond yn deg dy fod ti'n def-nyddio 'nŵr poeth i.'

'Na. Mi fydda i'n iawn, diolch iti. A diolch am y te.'

'Gyda llaw, oeddet ti'n gwbod fod 'na swydd yn mynd yn garej y pentre dros yr haf? Fe alwes i yno am betrol neithiwr ac roedd 'na arwydd i fyny.'

'Na. Gwneud be?'

'Syrfio petrol, rwy'n meddwl.'

'Duwcs! Mi gân nhw hogan i neud hynny, siŵr iawn, a thalu llai iddi.'

'Mae 'na gydraddoldeb ymysg y rhywia rŵan, wst ti. Dwyt ti erioed wedi clywed am y ddeddf honno?'

'Ydw. Ond fydd y Gwyddel 'na ddim.'

'Wel! Dim ond crybwyll y peth wnes i.'

'Ia. Diolch iti. Diolch iti 'run fath. Hwyl rŵan.'

Bachodd Paul fwcl y siaced am ei fys a thaflodd hi dros ei ysgwydd. Aeth trwy'r cyntedd bychan a thrwy ddrws y cefn, heibio i dalcen y tai allan ac i lawr lôn at y ffordd fawr

Yno roedd cerbydau cyflym. Rhedodd rhyngddynt mewn man diogel a throdd ar hyd y llwybr garw a arweiniai at Ddyddyn Traeth.

Yng ngardd ei dad roedd dau blentyn yn chwarae. Dringent ar y ffens fel dau garcharor yn crefu am ryddhad.

'Sut mae?' ebe Paul yn Gymraeg.

'Are you Paul?' atebodd un ohonynt.

'Yes. And you're Mathew, aren't you? I wonder how I know that!' meddai yntau'n hynaws. Gwenodd arnynt, hyd yn oed. Ni wnâi Paul hynny i bawb. *'Don't you think you should stop trampling over your Taid's flower beds?'*

'Sod off.'

'Our mum said we're not to take any lip from you.'

'Foreign bastards!'

Aeth Paul yn ei flaen at ddrws y cefn a'i gau'n glep ar ei ôl. Yn y gegin roedd ei dad yn pesychu uwchben y sinc.

24

'Sut mae?'

Aeth heibio heb ddisgwyl ateb a cherddodd yn dalog i mewn i'r lolfa.

'Pa hwyl, Rhiannon?'

'Sut mae, Paul? Sut wyt ti?'

'Cystal ag y gweli di fi.'

'Wedi tyfu cryn dipyn. A thwchu.' Safai hi wrth y ffenestr yn smygu. 'Taclus ydy'r lle 'ma. Fuost ti'n rhoi help llaw i Dad?'

'Na. Fo a Mam sy wedi bod yn cadw trefn ar bopeth. Ond peryg i betha chwalu rŵan gyda'r ddau lowt 'na sy gen ti'n cadw reiat ym mloda Dad.'

'O! Chwarae teg!' ebe Rhiannon yn ddi-feind. 'Dydyn nhw ddim wedi arfer â gweld bloda. Mi fydd hi'n amser eu rhoi nhw yn y gwely toc. Maen nhw wedi blino ar ôl y daith 'na. Finna hefyd o ran hynny. Er mae gen i ffansi mynd draw i'r Neptune cyn clwydo. Rhyw ddiod fach i relacsio! Jest un!'

'Be ddeudist ti?' ebe'i mam gan ddod o rywle.

'Deud yr awn i am ddiod fach i'r Neptune cyn clwydo. Rwy'n tybio fod fan'no'n dal i sefyll. Does 'na fawr ddim yn newid yn y twll 'ma.'

'A be am roi'r ddau yna yn y gwely?'

Aeth Paul heibio i'w fam ac am y tŷ bach.

'Oes 'ma ddŵr? Rwy i isho bath.'

'Mi ddyla fod,' atebodd y fam.

'Pwy ydy'r "ddau yna"?' holodd Rhiannon. 'Mark a Mathew, ydach chi'n ei feddwl?'

'Ia, siŵr iawn. A rheitiach iti feddwl am eu rhoi nhw ill dau trwy'r dŵr a rhwng canfasa na mynd draw i'r Neptune heno. Does 'na ddim licswn i'n well fy hun na mynd am ddiod fach ond rhaid i rywun feddwl am fory.'

'O! Tewch wir, Mam. Rydach chi'n cwyno digon nad ydach chi byth yn eu gweld nhw. Mi ro i nhw yn eu gwelya rŵan, ond siawns na fedrwch chi warchod am un awr fach imi.'

'Clyw 'merch i,' ebe'r fam. 'Rwy i wedi gwarchod dy ofidia di am fwy na digon o flynyddoedd yn barod. Hen bryd iti ysgwyddo baich dy gyfrifoldeba dy hun yn lle disgwyl . . .'

Tynnodd Paul ei grys dros ei ben ac agorodd y ddau dap led y pen. Yn sydyn roedd sŵn dŵr a dim lleisiau.

4

'Na, dyw e ddim 'ma,' atebodd y Wyddeles yn ei Saesneg acennog. 'Mae e'n gorffwys. Dal i alaru'n enbyd ar ôl fy chwaer, wyddoch chi!'

Daethai Paul i'r garej i chwilio am waith. Nid oedd wedi disgwyl croeso cras y wraig hon a bwysai wrth ddrws y caban talu ger y pympiau petrol. Cofiai Paul ei hwyneb. Hwn oedd yr wyneb a welodd rai dyddiau ynghynt yn eistedd ger Liam Coles ar y ffordd i'r claddu.

'Pryd fydd o 'nôl wrth ei betha, 'ta?' gofynnodd Paul yn ddidaro.

'O! Mae e wrth ei bethe yn olreit. 'Nôl a 'mlaen fydd e am ychydig ddyddie. Oes 'na rywbeth alla i ei neud? Y fi sy'n rhedeg petha yma tan iddo fwrw ei alar yn llwyr.'

'Clywed fod job yma wnes i. Syrfio fan'ma.'

'Rydan ni'n chwilio am rywun, mae hynny'n ddigon gwir. Arhoswch chi . . . ' Camodd y wraig yn ôl i'r caban i durio ar y bwrdd am feiro a phapur. 'Fe gym'ra i'ch enw chi.'

'Paul Shellmain.'

Rhewodd y beiro rhwng ei bysedd garwgroen. Nid ysgrifennodd ddim. Camodd yn ôl at y drws yn ymosodol, yn union fel petai hi am ei fwrw.

'Paul Shellmain! O! Does dim gwaith iti yma, 'ngwas i. O! Nac oes. Rwy'n flin sobor ond allwn i ddim caniatáu hynny. Ddim â Doreen druan prin yn oer yn ei bedd. Fydde fe ddim yn weddus o gwbl.'

'Ond rydach chi newydd ddeud eich bod chi'n chwilio am rywun.'

'Chwilio am ferch oedden ni . . .'

'Chewch chi ddim gneud petha felly. Waeth ichi hogyn na hogan y dyddia yma.'

'Does dim gwaith iti yma.'

'Fe ddwedsoch chi fod 'na.'

'Wel! Does dim. Dim i ti. Fe fedri di gymryd fy ngair i.'

'Na wna. Chym'ra i mohono.' Roedd Paul wedi'i gythruddo. 'Chym'ra i mo'r ateb yna gennych chi. Roeddech chi cystal â deud y cawn i'r job tan ichi glywed fy enw. Ble mae Mr Coles? Y fo sy'n cyflogi pobl yn fan'ma. Nid chi. Ei garej o ydy hi. Ble mae o? Yn y fflat?'

Trigai Coles mewn fflat uwchben rhan o'r fusnes ac roedd grisiau wrth dalcen yr adeilad yn arwain i fyny iddi.

'Does gennych chi ddim hawl mynd lan yna,' gwaeddodd y wraig ar ei ôl. 'Ydych chi'n clywed?'

'Ewch 'nôl at eich cwsmeriaid. Mae rhai yn disgwyl i dalu,' gwaeddodd Paul arni. Roedd hynny'n wir ac aeth y wraig yn ôl at y til yn ffwndrus.

Rhuthrasai Paul i fyny'r grisiau tra siaradai. Cydiodd ym mwlyn y drws ac agorodd iddo. Aeth i mewn yn wyllt.

'Mr Coles!'

Heb wybod yn y byd ble i fynd agorodd y drws cyntaf a welodd ar y dde yn ei ymyl.

'Be ddiawl wyt ti isho?' gofynnodd Liam Coles.

Safodd Paul yn llonydd ar ganol ei wylltineb. O'i flaen, safai'r dyn yn noethlymun. Roedd newydd gamu o'r gawod ac yn diferu mewn dryswch.

Rhythasant yn fud ar ei gilydd am eiliad. Y naill a'r llall wedi synnu gormod i ddangos gwên na gwg.

'Job,' atebodd Paul o'r diwedd, wedi ei sobri gan ganlyniadau lletchwith ei haerllugrwydd ei hun.

Estynnodd y dyn am ei dywel a lapiodd ef yn drwsgl o gylch ei ganol. Roedd yn foel a blonegog a chanol oed. Camodd Paul yn ôl yn dramgwyddus.

'Fe ddwedodd eich chwaer lawr llawr y cawn i job ac yna mi . . . '

'Nid fy chwaer, diolch i Dduw,' torrodd Coles ar ei draws. 'Chwaer yng nghyfraith. Bydd yn fanwl. Dim ond cyfraith allai fod yn gwlwm rhyngof fi a hi. Dydy hi ddim yn chwaer i mi, diolch i'r drefn.'

'Ydw i'n cael y job, 'ta?' holodd Paul yn ddryslyd.

'Dos i'r stafell arall i eistedd am funud,' ebe'r dyn yn hynaws, 'tra 'mod i'n gwisgo.'

28

Camodd Paul allan i'r landin ac ar y gair daeth y chwaer yng nghyfraith trwy ddrws y ffrynt.

'Paid â chymell dim ar y llanc,' rhuodd ar Liam Coles. 'Wyt ti'n gwbod pwy yw e? Cystal iti ddeud ''na'' nawr a rhoi diwedd arno. Wnei di'r un caredigrwydd ag e trwy godi ei obeithion.'

'Ond mae 'na job ran amser yn mynd, on'd oes?' mynnodd Paul. 'Pam na chaf i hi?'

'Ydy dy fam yn gwbod dy fod ti yma'n holi am y job 'ma?' gofynnodd Coles.

'Na. Wnes i ddim trafferthu deud wrthi,' atebodd Paul. 'Mae ganddi ddigon ar ei phlât efo'r llond tŷ sydd acw.'

'Fydda hi ddim yn hoffi meddwl dy fod ti yma'n chwilio am waith.'

'Does dim angen unrhyw eglurhad,' ebe'r Wyddeles ddig. 'Jest dwêd wrth y llanc 'ma am fynd.'

'Ia! Gwell iti fynd,' cytunodd y dyn yn lled anfodlon, gan encilio'n araf i ystafell wely.

Camodd Paul at y drws a adawyd ar agor gan y wraig. Ildiodd iddynt. Dyna beth oedd garej Wyddelig yn wir! Y giwed wallgof! Doedd arno fawr o awydd gweithio iddynt, p'run bynnag.

'Wyt ti wedi anghofio'n barod fel yr aeth fy chwaer i'w bedd o flaen ei hamser?'

'Ydy hi ddim yn bryd iti fynd yn ôl at y pympia petrol 'na? A phetai'n dod i hynny, ydy hi ddim yn bryd iti fynd yn ôl i Lerpwl a 'ngadael i i redeg fy musnes fy hun? Fi fydd fel arfer yn dewis fy staff fy hun.'

'Ie. Ti oedd yn arfer dewis dy staff dy hun yn y stable hefyd. Cofio?'

29

'O! Dos o' 'ma, ddynes! All dyn ddim cael cawod a newid heb gael llond y stafell o bobl?'

Aeth Paul trwy'r drws a'i gau ar ei ôl. Camodd yn araf i lawr y grisiau. Ni chofiai'r garej pan oedd yn stablau. Nid oedd ar gael bryd hynny.

5

'Chesh i mohoni!' gwaeddodd Paul yn y cyntedd bach yn Hafod Dywod. Roedd wedi oedi i roi ei siaced ar y bachyn yno.

Aeth i mewn i'r gegin ac yno eisteddai dyn nas gwelsai erioed o'r blaen. Roedd wrth y bwrdd, hanner grawnffrwyth o'i flaen a thafell o dôst ar blât yn ei ymyl. Ar y bwrdd hefyd roedd powlenaid o siwgr brown, potel lefrith a photaid o fêl.

'Mae'n ddrwg gen i,' ychwanegodd Paul yn lletchwith. Ni hoffai wên y dyn ac ofnai fod hwnnw'n cael hwyl am ei ben.

'Popeth yn iawn,' atebodd y dyn gan lyncu darn o'r ffrwyth. 'Pwy yw hon dwyt ti ddim wedi ei chael, felly?'

'Pardwn.'

' "Ches i mohoni!" '?'

'O! Swydd yr esh i ar ei hôl. Swydd y dywedodd Mel wrtha i amdani. Ble mae o?'

'Yn ei wely.'

'Rwy i wedi bod . . .'

'Yn dod yma i helpu. Do. Rwy'n gwbod. Fe ddeudodd o fod rhywun o'r pentre wedi bod yn galw draw.

30

Chwarae teg iti. Ond dwy i ddim yn meddwl ei fod o'n dy ddisgwyl di bore 'ma.'

'Na. Galw heibio i sôn am be ddigwyddodd ddoe wnesh i. Ynglŷn â'r job. Fe alwesh i draw neithiwr ond doedd 'na neb yma.'

'Fe ddoist ti tra oedd o yn y dre yn fy nghwrdd i off y bws, mae'n rhaid.'

'Ti 'dy ei ffrind o, felly? Yr un sy'n bwrw'r Sul yma?'

'Dyna ti,' atebodd y llall gan godi oddi ar ei gadair ac estyn ei law. 'Jon!'

'Paul Shellmain,' ebe Paul gan gymryd y llaw.

'Gym'ri di frecwast?'

'Na. Dim diolch. Rwy i wedi cael.'

'Wedi codi'n fore, Paul Shellmain.'

'Ydw, mae'n debyg. Gormod o sŵn imi allu cysgu acw. Mae fy nau nai i'n byw efo ni rŵan. Eu sŵn nhw yn fy neffro i.'

'A beth am genod? Pan oeddwn i d'oedran di roedd genod yn fy nghadw i yn effro. Miwsig y Stones ar y trani. Plorod ar 'y ngên. A genod ar fy meddwl. A'r mwyaf o'r tri hyn oedd gofid am y genod. Wyt ti'n caru?'

'Na.'

'Wyt ti mewn cariad?'

'Na. Ond rwy'n ddigon hen. Mi fydda i'n ddeunaw wythnos nesaf.'

'Nid bod yn ddigon hen yw'r broblem ond cadw'n ddigon ifanc. Syrthio mewn cariad am y tro cyntaf fydd gweithred olaf dy blentyndod. Pan ddoi di dros hynny fe fydd bywyd yn haws ei fyw.'

'Siarad o brofiad?'

'Ydw.'

'Rhyfedd na ddaru Mel sôn gair ei fod o'n dy ddisgwyl di.'

'Doedd o ddim yn fy nisgwyl i, dyna pam. Ffonio'n gynnar neithiwr wnes i ar ôl llwyddo i gael amser i ffwrdd yn go sydyn.'

'Be 'dy dy waith di, 'ta?'

'Trydanwr gyda chwmni teledu.'

'Ti wnaeth ailweirio'r lle 'ma iddo?'

Cerddodd Paul draw at ochr yr ystafell oedd yn lolfa. Dilynai llygaid y dyn arall ef heb amrantu.

'Yn rhannol. A neithiwr rown inna'n edmygu dy waith ditha. Rwyt ti wedi bod yn brysur yn yr ardd 'ma.'

'Roedd yn hen bryd troi ati. Mae 'nhad yn hoff o arddio, dyna sut gwyddwn i beth i'w neud. Nid ei fod o'n caniatáu imi neud dim byd yn yr ardd gartre. Dim ond edrych a chadw 'nwylo oddi ar ei betha fo.'

'Wel! Mae hynny'n gyngor doeth bob amser, yn tydy? Wyt ti'n siŵr na chym'ri di ddim?'

'O! O'r gora, 'ta. Mi gym'ra i baned o goffi.'

Codasai Jon wrth ofyn. Eisteddodd Paul wrth ateb.

'Fydd y coffi ddim yn hir,' meddai Jon ar ôl cynnau'r peiriant.

'Pryd ddaw Mel i lawr?'

'Anodd deud. Roedd o'n gweithio'n bur hwyr neithiwr.'

'Neithiwr?'

'Ie. Ond nid ar y tŷ. Ysgrifennu rhywbeth i rywun. Rhywbeth sy'n rhaid ei roi yn y post heddiw. Ras munud olaf! Panics gwyllt! Y dramâu sy'n mynd ymlaen heb fod neb yn eu gweld nhw!'

'Mae o'n gweithio'n galed, yn tydy? Mel!'

'Ydy.'

'Ddaeth o i benderfyniad byth ynglŷn â'r lle 'ma?'

'Naddo, am wn i. Sôn am dŷ bwyta roedd o ddiwethaf. Neu *guest house* go *select* a phreifat.'

'A ddoi di yma maes o law, i'w helpu gyda'r fenter?'

'Rwyt ti'n holi llawer, Paul Shellmain.'

'Ond rwy'n ddigon diniwed. Does dim rhaid iti ateb.'

'Mae'n debyg y dof i yn y diwedd. Braidd yn dawel yw hi yma i mi. ''Pan wyf yn hen a pharchus'', efallai y bydda i'n teimlo'n wahanol.'

'Dwy i ddim yn deall.'

'Na. Na finna,' chwarddodd Jon. 'Darn o ryw gerdd yw hi. Sgwn i pam fod dyn yn clywed cymaint ar y llinell yna? Pobl yn cymryd cysur o'r dybiaeth y byddan nhw un dydd yn hen a pharchus . . . ac arian yn eu coda hefyd, o ran hynny. Fel petai sicrwydd o'r peth, a bod a wnelo fo ddim oll â hap ac iechyd a buchedd dda.'

'Dwy i'n dal ddim yn deall,' mynnodd Paul yn styfnig.

'Dylanwad Mel arna i, debyg iawn! Fyddwn i byth yn arfer dyfynnu barddoniaeth cyn cwrdd ag o.'

Sbiodd Paul o'i gwmpas yn sinigaidd. Roedd y silffoedd llyfrau yn llawn ond ni welsai Mel erioed yn darllen yr un ohonynt.

'Wyt ti'n cymryd siwgr yn dy goffi?' gofynnodd Jon.

'Dim ond pan fydda i'n teimlo'n chwerw,' atebodd.

6

'A waeth iti heb na llyncu mul,' rhuodd Rhiannon.

'Beth arall alla i 'i neud? Waeth imi roi diwedd arna i fy hun ddim. Rŵan fod y blydi Saeson 'na wedi cymryd drosodd does dim lle imi yn 'y nghartre fy hun.'

'Paid ti â siarad fel'na am Mathew a Mark. Mae hwn yn gymaint cartre i fi a nhw ag ydy o i ti.'

'Hy! Pam nad ei di â'r Saeson diawl yn ôl i Loegr o lle daethon nhw.'

'Ti'n actio fel plentyn ac un sydd wedi ei ddifetha ar hynny. Jest am na chei di weld be ti isho ar y teledu. Ydy Paul bach yn pwdu?'

'Rhiannon! Paul! Be haru chi, wir?' Daeth y fam i'r gegin a mwy o ôl siom yn ei llais na dicter.

'Paul sy'n codi twrw am na chaiff o weld be hoffai o ar y teledu.'

'Finna'n deud wrthi am fynd yn ôl at y gŵr 'na sy ganddi. Neu hyd yn oed y gŵr cyntaf 'na oedd ganddi o ran hynny. Hawdd cynnau tân ar hen aelwyd, meddan nhw.'

'Paul bach,' ebe ei fam yn gymodlon. 'Pam nad ei di i wrando ar rai o dy recordia am awr neu ddwy?'

'Pam na all yr hogia 'na fynd allan i chwarae?'

'Mae'n glawio, stiwpid!' atebodd Rhiannon.

'Wel! Be am hynny? Dim ond gwlychu wnan nhw.'

'Triwch gyd-dynnu, da chi!' ymbiliodd y fam.

'Fe glywist di be ddeudodd Mam,' ebe Rhiannon. 'Dos i chwarae efo dy beiriant recordia. Mae gen ti ddigon o'r tegana 'na yn dy lofft.'

'O leiaf peirianna ydy fy nhegana i, nid pobl.'

'A be mae hynny'n 'i olygu?'

'Sawl gwaith eto sy raid i Mam newid y llunia priodas ar y silff ben tân? Heb sôn am y gost o brynu presant priodas iti. Mae dy fywyd preifat di wedi costio'n ddrud iawn iddyn nhw hyd yn hyn.'

'Dyna ddigon, Paul. A Rhiannon, mi ddylet titha wybod yn well na'i bryfocio fel'na.'

'O! Didyms! Ydy'r hogyn bach wedi cael ei frifo?'

Aeth Paul i'w ystafell ei hun gan forio'r twrw o'i chwaraeydd recordiau. Gallai glywed y ddau blentyn yn cwyno y tu allan i'r drws a'u nain yn ceisio eu tywys yn ôl i'r lolfa at y sothach y mynnent ei wylio ar y teledu.

'Rwy'n mynd allan am dro,' cyhoeddodd Rhiannon yn y man.

'Ond beth am y rhain?'

'Fe fydda i'n ôl i'w rhoi nhw yn y gwely, Mam. Peidiwch â phoeni. Ond fedra i ddim aros munud yn rhagor yn y sŵn 'ma. Mae'n ddigon i fyddaru dyn.'

Cododd ei llais ar y frawddeg olaf er mwyn gwneud yn siŵr fod Paul yn clywed, ond gallai hwnnw glywed y cyfan p'run bynnag. Rhaid fod y blynyddoedd o fyw oddi cartref wedi gwneud iddi anghofio mor denau oedd y parwydydd.

Gorweddai Paul ar wastad ei gefn gyda gwên ar ei wyneb. Yn gwrando. Ac yn gwylio'r glaw ar y ffenestr.

Parhaodd y glaw am rai dyddiau, nid yn gwbl ddi-stop, mae'n wir, ond yn ddigon rheolaidd i greu ysbryd mwll a llaith. Y brodorion yn bigog. A'r ymwelwyr yn isel eu hysbryd.

Treuliodd Paul sawl prynhawn draw gyda Mel. Roedd hwnnw'n byw ar ei ben ei hun unwaith eto ers i Jon ddychwelyd i'w waith—gwaith a aethai ag ef i gyrion Clwyd am wythnos neu ddwy, yn ôl a ddeallai.

Dro arall dôi ar draws rhai o'i gyfoeswyr yn y pentref—criw iach, di-waith yn hel eu traed ar hyd y lle.

Bodiodd i'r dref unwaith neu ddwy. Oriau o segura o gwmpas y cei a'r tafarndai.

Yn ôl yn ei gynefin, cerddai dros y twyni yn aml; hen orchwyl i ladd amser a fu yn ei ddiddori trwy gydol ei oes. Deuai amryw at y traeth, hyd yn oed yn y glaw. Rhai yn nofio. Eraill yn mynd i forio yn eu cychod.

Syllai Paul, gan mwyaf, ar ôl ei draed yn gwrido'r tywod gwlyb. Rhythai'n ddig ar ambell bâr o gariadon yn troedio'r twyni at ddrygioni. Ymlwybrai yntau adref at sŵn byddarol ei berthnasau.

Y noson cyn ei ben-blwydd daeth yn ôl i'r tŷ tua naw a chael mai Rhiannon oedd yr unig oedolyn arall yno. Ei rhieni wedi mynd i'r Neptune, ei meibion wedi blino ac yn eu gwelyau'n gynnar.

Eisteddodd Paul yn y gadair freichiau gyferbyn â'r teledu, lle'r arferai ei dad eistedd. Hongianodd ei goes dros fraich y gadair.

'Rwy i wedi blino.'

'Lle fuost ti?'

'Draw yn Hafod Dywod.'

'Pam gebyst wyt ti'n dianc i fan'no trwy'r amser?

Ar wahân i sŵn Mark a Mathew, hynny ydy. Achos mi rydw i'n deall, wst ti. Mi rydw i'n *stuck* efo'u sŵn nhw trwy'r dydd, cofia.'

'Mae hynny'n wahanol,' mynnodd Paul. 'Wedi'r cyfan, ti ddewisodd eu cael nhw.'

'Hy! Dewis eu cael nhw, wir! Dyna ddangos cyn lleied wyddost ti. Ond paid â phoeni! Ella na fydd raid iti eu diodda nhw am lawer eto.'

'Be? Wyt ti'n mynd yn ôl at John?'

'Na. Er mi gesh i lythyr arall gynno fo bore 'ma yn bygwth dod draw i weld yr hogia. Ond ddaw o ddim, paid â phoeni. Fydd o ddim yn gweld eu hisho nhw gymaint â hynny.'

'Ble rwyt ti'n bwriadu mynd 'ta?'

'Hidia di befo rŵan. Clyw! Ti isho ffag?'

'Dim diolch.'

'Fe fedri di, wst ti. Ddeudith Mam ddim byd. Rown i'n smocio o gwmpas y lle 'ma yn d'oedran di.'

'Dim diolch. Dwy i ddim yn smocio.'

'Bobol bach! Wn i ddim pwy rwyt ti'n tynnu ar ei ôl, na wn i.'

'Mi fedrwn wneud efo paned o goffi.'

'O! Wel! Mi af i i roi'r tegell ymlaen iti. Mae golwg wedi blino arnat ti.'

'Gweithio trwy'r prynhawn, dyna pam.'

'Yn y glaw 'ma?'

'Nid tu allan. Yn y tŷ. Mae Mel isho cael un arall o'r llofftydd i drefn ar frys. Papuro fuon ni heddiw.'

'Welish i erioed mohonat ti'n codi llaw i bapuro fan'ma. Ond mae'n wahanol pan fydd rhywun yn talu, mae'n debyg. Er watsha di dy hun na ddaw pobl y dôl i wybod dy fod ti'n gweithio . . .' Ar hynny, daeth Mark, y mab iengaf, i mewn. *'What the hell are you doing here? Get back to bed at once.'*

Cododd Rhiannon gan regi. Gwasgodd ei sigarét yn stwmpyn cyn-amserol yn y soser lwch.

'Dos i'r gegin i roi'r tegell i ferwi ar y ffordd 'nôl,' ebe Paul wrth i Rhiannon ruthro o'r ystafell gan dynnu'r plentyn gerfydd ei law.

'Mi fydd o'n iawn rŵan,' ebe hithau pan ddychwelodd. 'Fyddi di'n iawn efo nhw am dipyn? Fydda i ddim yn hir.'

'Ble rwyt ti'n mynd?'

'Picio allan am dro. Dros y twyni, fel y byddi di mor hoff o neud. O.K.?'

'Na. Dydy o ddim yn O.K.'

'O! Tyrd! Paid â bod yn gymaint o fabi eto.'

'Ond beth am 'y nghoffi i?'

'Fe rof i'r tegell i ferwi wrth fynd allan.'

'Diolch am ddim.'

7

Pwysodd Paul ar sil y ffenestr a syllodd, nid trwy wydr ond trwy'r ffenestr agored. Lle gorffennai'r coed gallai weld y ffordd fawr yn ymestyn yn ddwy ffrwd brysur o drafnidiaeth i gyfeiriad y pentref. Heibio i'r ffordd brigai'r borfa yn y tywod a'r ochr draw i'r twyni rhedai'r môr yn rhimyn glas. Yn gefndir i'r cyfan roedd yr wybren las ag ambell gwmwl difygythiad yn swatio yn ei chôl.

Y tu cefn iddo, clywai bwysau'r dyn arall ar styllen ond ni throes i edrych.

'Tyrd iti gael diod fach cyn iti adael,' ebe Mel gan bwyso dros ei ysgwyddau i sbio gydag ef ar yr olygfa.

'Fe agorish i'r ffenest i gael awyr iach i mewn yma. Mae 'ogla'r paent yn dal i'w glywed yma.'

'Ydy. Syniad da. Fe wnest ti joban dda o'r stafell 'ma. Gobeithio y bydd Sharon Mair yn ei gwerthfawrogi.'

Gorfodai Mel ef i droi ei olygon yn ôl i'r ystafell. Troes Paul heb rwgnach. Roedd y papur wal yn flodeuog a'r llawr yn noeth.

'Pwy ydy Sharon Mair?'

'Wnes i ddim egluro? Dyna pam rown i'n awyddus i gael trefn ar y stafell hon. Mae Sharon Mair yn dod i dreulio'r haf yma. Hi a Jon. A tipyn o hogan ydy hi hefyd.'

'Ei gariad o?'

'Mewn ffordd o siarad.'

'Nid ei wraig?'

'Na. Nid ei wraig. Ei ferch.'

'Wyddwn i ddim fod Jon yn briod.'

'Dydy o ddim bellach. Fo a'i wraig wedi ysgaru a gyda'i mam y bydd Sharon yn byw fel arfer, ond mae honno'n mynd i Ewrop gyda'i chariad am ddeufis.'

'Fedr hi ddim mynd i fyw efo Jon ym Mangor?'

'Mi fedra, mae'n debyg.'

'Dwyt ti ddim isho plant o gwmpas y lle 'ma yn gwneud smonach o bopeth.'

'Dim ond fflat un stafell sy gan Jon ym Mangor. Mi fydd hi'n gymaint brafiach iddi yma dros yr haf. Wyt ti ddim yn cytuno? Newydd orffen ei lefel 'A' mae hi. Felly dydy hi ddim mwy o blentyn na thi.'

'Ac mi fydd 'ma dri ohonon ni o gwmpas y lle 'ma.'

'Bydd. Ac mi fydd Jon yn ôl a 'mlaen yn ddigon aml wrth gwrs.'

'Pedwar ohonon ni.'

'Pedwar ohonon ni,' ecodd Mel yn freuddwydiol.

Troes Paul yn ôl at y ffenestr a'i thrysorau a dywedodd y dôi i lawr am ddiod toc.

8

Gwelai olau yn ffenestr y gegin wrth iddo nesáu at ddrws y cefn.

Baglodd i mewn yn hanner meddw. Roedd hi wedi bod yn noson dda i lawr yn y dref gyda'r hogiau. Buasant yn yfed a chodi twrw ar hyd y cei cyn gyrru'n ôl yn beryglus o gyflym yng nghar un hanner chwil. Noson ei ben-blwydd oedd hi ac roedd Paul uwchben ei ddigon.

'Ble rwyt ti wedi bod?' gofynnodd i'w chwaer.

'Allan am dro. Gwneud paned cyn clwydo ydw i,' atebodd Rhiannon. 'Gymeri di un?'

'Diolch.'

Tynnodd Paul ei siaced a'i thaflu'n swnllyd ar gefn cadair.

'Noson dda, hen chwaer,' byrlymodd Paul gan glymu ei freichiau o gylch ei chanol o'r cefn. Roedd hithau'n ceisio tendio'r tegell a'r te a'r cwpanau gweigion.

'Mae'n dda fod rhywun yn cael be mae o isho yn y blydi twll 'ma.'

'Be haru ti? Yli? Mi ddylen ni . . . Wel! Wst ti! Mi ddylen ni allu gneud efo'n gilydd. Cyd-dynnu. Peidio tynnu'n groes. Cymodi, fel! Fy mhen-blwydd i ydy heno.'

'Mi wn i. Rŵan, gad lonydd imi.'

'O! Tyrd! Cymodi. Brawd a chwaer. Tyrd. Tro rownd i mi gael rhoi cusan iti.'

'Paid â rwdlan, Paul. Rwy'n ceisio gwneud te yn fan'ma. A chadw dy lais i lawr. Os deffri di Mark a Mathew fe ladda i ti. Rwy i jest isho cael paned a mynd i 'ngwely o'r ffordd.'

'O! Paid â bod mor blydi twp. Mi ddylet fod wedi dod i'r dre efo ni. Ti'n licio *good time*. Fasa'r hogia ddim yn meindio. Rwyt ti'n ddigon ifanc.'

'Paid â 'ngalw i'n dwp, Paul Shellmain. Rŵan, tynn dy freichia oddi arna i.'

'O! Be haru ti, chwaer fach?'

'Gad lonydd imi, Paul! Imi gael nôl llefrith o'r *fridge*.'

'Waeth iti heb na bod yn biwis efo fi,' rhuodd Paul yn uchel. 'Colli dy ŵr wyt ti, siŵr gen i. Mi ddylet ddod allan efo ni. Mi fasa rhai o'r hogia wrth eu bodd. Hen griw cymwynasgar iawn . . .'

'Wel! Chlywish i 'run smic amdanat ti'n gwneud cymwynasa tebyg i neb.'

Rhyddhaodd Paul ei freichiau a baglodd yn ôl yn benysgafn. Trawodd yn erbyn cadair a ddymchwel-odd yn drwstfawr i'r llawr.

'Paul,' rhuodd Rhiannon arno. 'Eistedd, da ti, cyn imi roi cweir iawn iti.'

'Paid â bod mor blydi gwirion.'

'Eistedd, cyn iti 'chosi rhagor o dwrw. Mi gei di baned o de gen i rŵan.' Ac wrth siarad aeth Rhiannon i'r rhewgell i nôl potel o laeth.

'Ti'n fwy sur nag arfer heno. Be sy? Wedi bod yn hel dyn a methu ei ddal wyt ti?'

'Hel dy dad fûm i am a wyddost ti.'

'Be?'

Syllai Paul arni yn niffyg dealltwriaeth ei feddwdod. Nid oedd wedi eistedd. Pwysai yn hytrach ar gefn y gadair a godasai ar ôl ei tharo i'r llawr.

'Ti'n blydi twp!'

'Dwy i ddim mor dwp na wn i pwy ydy fy mam.'

'Be ydy ystyr hynny?'

'Sgen ti ddim syniad, nac oes? Dim un inclin.'

'Am be?'

'Am o ble doist ti—dyna be! Dwyt ti erioed wedi amau, naddo? Erioed wedi aros i feddwl.'

'Be wyt ti'n ei feddwl?'

'Fi ydy dy fam di, y mwlsyn hurt! Dyna ydw i'n ei feddwl! Nid fi ydy'r un dwp yn y lle 'ma!'

Crynodd Paul am eiliad wrth i gerrynt ciwed o gwestiynau ddirdynnu trwy ei gorff.

'Paid a bôd mor ffiaidd!' Estynnodd fonclust iddi wrth siarad a syrthiodd Rhiannon yn ôl ar draws y stof gan hyrddio'r botel lefrith yn dipiau i'r llawr.

Y teilch gwyn ar y teils oer.

'Rŵan, edrych be wnest ti! Y bastard gwirion! Codi twrw! Methu dal dy gwrw! Hen siarad gwag, mawreddog. Ti'n blydi pathetig!'

'Be ti'n ddeud? Y? Be wyt ti'n trio'i ddeud?'

Neidiodd Paul amdani gan afael ynddi gerfydd ei

siwmper o dan ei gên. Damsangodd traed y ddau yn y gwlybaniaeth gwydrog dan draed.

'Dydy o ddim yn wir! Dydy o ddim yn wir! Hen bitsh gelwyddog fuost ti erioed.'

'Jest meddylia am y peth am funud. Jest meddylia yr holl flynyddoedd sy rhyngon ni. Wyt ti erioed wedi meddwl am yr holl flynyddoedd hynny?'

'Roedd gynnon ni chwaer.'

'Roedd gen i chwaer. Fe fuodd farw'n gyfleus iawn. Creu pont fach hwylus rhyngon ni. Fe gollais i chwaer. Fe gollaist ti fodryb, ymhell cyn dy eni. Modryb, Paul. Nid chwaer.'

Gyrrai ei anwybodaeth yn gyhuddiadau carlamus dros draeth y cof.

Lluchiodd hi'n wrthodedig yn ôl yn erbyn y drws. Ei sobrwydd yn torri trosto fel chwys syfrdan. Hithau, a'r diferion llaeth wedi sarnu ar hyd ei choesau, yn rhoi ochenaid o ryddhad.

A chyda hynny daeth synau eraill i darfu ar y tŷ.

'Dwyt ti ddim yn deud y gwir, wyt ti?' gofynnodd Paul yn dawel, gan grefu am gael glynu wrth ei anghrediniaeth.

'Be wyt ti'n ei feddwl? Mewn difri? Mi ddylen nhw fod wedi deud wrthyt ti flynyddoedd yn ôl. Flynyddoedd ar flynyddoedd yn ôl.'

'Ac mae pawb yn gwbod? Pawb yn y pentre? Mae pawb yn gwbod?'

'Ydyn, am wn i. Ti'n gwbod fel mae stori yn hel ei thraed?'

Gwnaeth Rhiannon ei siwmper yn gymen wrth siarad a chymerodd liain sych i sychu ei choesau.

43

Roedd arni ormod o ofn dod yn nes ato. Aethai Paul at y sinc i chwydu.

'Mae pawb yn gwbod ond wedi dewis anghofio, decyn gen i,' ychwanegodd hithau.

'Be yn y byd ydy'r holl sŵn 'ma?' ebe'r fam wrth ddod i mewn. 'Mae Dadi'n cysgu ac yn gorfod codi'n gynnar yn y bore.'

'Dadi'n cysgu ci bwtshar, ydy o?' arthiodd Paul arni. Ei lais yn gryg. Ei weflau'n wlyb.

'Paul, wyt ti'n feddw? Edrychwch ar y llanast 'ma. Paul, eistedd i lawr yn fan'na iti gael diod boeth.'

'Peidiwch chi â deud wrtha i beth i'w neud,' atebodd Paul yn ffyrnig. 'Does dim raid imi wrando arnoch chi byth mwy. Dydach chi'n ddim i mi.'

'Paul? Rhiannon? Be ydy'r llefrith 'ma ar hyd y llawr? Mawredd, does isho gras! Be sy wedi bod yn mynd ymlaen yma?'

'Gofynnwch i Rhiannon be sy wedi bod yn mynd ymlaen yma ers deunaw mlynedd—deunaw a diwrnod erbyn hyn. Ond na, roeddech chitha yn y cynllwyn, on'd oeddech chi? Does dim angen i chi holi neb.'

'Rhiannon?'

'Mae o'n gwbod. Roedd yn hen bryd iddo wbod,' dywedodd y ferch yn dawel. 'Tyrd, Paul, dywed noswaith dda wrth dy nain.'

'Nain! Nain! Sgen i 'run nain. Rhwng y ddwy ohonoch rydach wedi f'amddifadu o hynny hefyd. Ydy o'n wir? Ydy o, mewn difri?'

Camodd ymlaen yn ymosodol at y ddwy.

'Eistedd am funud, Paul, os gweli di'n dda,' ebe ei fam, ond cyn iddi gael cyfle i godi ei llaw at ei ysgwydd fe ruodd yr ŵyr, fel march oedd newydd ddod o hyd i'w ryddid.

'Dyna ddigon o "Plîs Paul hyn" a "Plîs Paul y llall". Dydach chi'n ddim i mi. Rydach chi wedi cynllwynio eich hunan allan o fodolaeth. Dallt?'

'Cadw dy lais i lawr.'

'Waeth gen i os deffrith dy blydi plant di. Doeddwn i ddim yn hoff iawn ohonyn nhw fel dau nai. Fel dau frawd maen nhw'n wrthun y tu hwnt i bob disgrifiad. Jest cadw nhw allan o'm ffordd i, wyt ti'n dallt?'

A chan gicio ceg y botel ar draws y llawr troes ar ei sawdl gan godi ei gôt oddi ar gefn y gadair. Aeth trwy ddrws y cefn gan adael y mamau gyda'i gyfog yn y sinc a'r llaeth ar y llawr.

Neidiodd dros y ffens isel a rhedodd nerth ei draed dros y twyni. Llithrai ei draed yn y tywod meddal, er mor gyfarwydd oeddynt â'r llwybrau hyn.

Llifai awel fain o'r môr trwy ei wallt. Ynddo yr oedd gwewyr y sylweddoliad sydyn fel sgrech o arswyd, yn ei sobri a'i sigo am yn ail. Ei gyfog yn gweryru ei ffordd o'r stumog i'r swnd. Hyrddiadau hurt yn orymdaith ddwl a ddathlodd ben-blwydd. Pen-blwydd, o bopeth! Gallai deimlo creulondeb hynny yn ceulo yn ei lwnc. Yn ceulo'n llifeiriant du a distaw yn y nos. Y cwrw'n codi'n gynnes o'i gylla. Fel caseg yn bwrw brych ar ôl esgor ar ei marw-anedig. Hyrddio hurt y pen-blwydd ofer. O'r geg i'r gwagedd.

Yna, sŵn ochneidiau anghyfreithlon yng nghysgod twyn gerllaw. Paul yn sleifio yno'n ddistaw a syllu'n ddigywilydd ar ddau ifanc (mab a merch o'r maes carafanau cyfagos) yn cyplu'n egnïol ar y tywod.

A hwythau ar eu penllanw, troes ei ben a cherddodd yn araf i lawr at y môr, oedd ymhell i ffwrdd, gan ei fod, fel ei feddwdod, ar drai.

9

'Fe ddylet ofyn pwy oedd o,' meddai Mel.

'Ddylwn i?' holodd Paul.

Nid oedd am holi, ond roedd am wybod. Bu tŷ Mel yn lloches iddo ers deuddydd. Âi adref i gysgu a fawr ddim arall. Mynnai ei fam (ei nain!) y deuai i ddeall y cyfan a ddigwyddodd gydag amser. Edifarhâi Rhiannon iddi erioed agor ei phen.

'Anghofia'r peth. Dydy o ddim o bwys rŵan,' barnodd yn ddidaro drannoeth y datguddiad.

Cadwodd Paul yn fud y bore hwnnw. A'r rhai dilynol. Ni siaradai fawr ddim â'r tad oedd yn daid, y fam oedd yn nain a'r chwaer oedd yn fam. Roeddent hwythau'n chwithig wyneb yn wyneb â'i chwerwder. Ar y dechrau ceisiodd y nain ddwrdio'r ferch (y fam!) am adael y gath o'r cwd. Ond buan y disodlwyd hynny gan densiwn y distawrwydd a ddeisyfai normalrwydd. Y normalrwydd a oedd yn gyfystyr â dygymod. Y dygymod a olygai dderbyn. Y derbyn a'r deall. Fe ddôi i ddallt! Fe ddôi i ddallt!

Ond ni chrybwyllodd neb ei dad. Ei dad go iawn.

Wrth iddo syllu yn nrych y tŷ bach yn Hafod Dywod, gallai Paul weld nad oedd yn edrych yn debyg i'w daid. Roedd hwnnw eisoes yn hen ac er ei fod yn heini ac yn holliach, roedd ei wallt wedi colli ei le a'i liw, a'i draed wedi hen beidio trotian.

Roedd gan Paul dalcen tal a ffroenau llydan, gwallt du a gyrliai fymryn ar ei dalcen a dwylo mawr cydnerth nad oedd yn wantan llaethog fel rhai ei fam (ei fam go iawn). Synhwyrai ryw anian estron yn ei fod. Rhyw anian na sylwasai arno o'r blaen. Carlamai'r ymwybyddiaeth newydd o darddiad ei fod trwy ei holl ymwybyddiaeth ohono ei hun.

Dymchwelwyd y muriau brau a'i cadwodd yn glyd cyhyd. Roedd y crud yn deilchion. A dechreuodd deimlo'n fwy o ddyn nag a wnaethai erioed o'r blaen.

Paul Shellmain oedd o! Nid oedd hynny'n newid. Yr un enw. Yr un anian. Yr un corff. Ond nawr roedd dirgelwch yn y celloedd a gwres diwreiddyn yn y gwaed.

'Mae gen ti hawl i wbod,' mynnodd Mel. 'Mae gan bawb hawl i wbod pwy ydy ei dad.'

'Ella na ŵyr hi. Hen hwran fuodd hi erioed.'

'Mater iddi hi i'w ddatgelu iti yw hynny. Ond rwyt ti'n ddeunaw ac mae gen ti hawl i wbod pwy ydy dy dad.'

'Beth petawn i'n ei gasáu o?'

'Beth petaet ti'n ei garu? Beth petai o'n byw ym mhen arall y byd? Beth petai o'n farw ers blynyddoedd? Fedri di ddim byw ar petai!'

'Hawdd iawn i ti siarad! Dramodydd wyt ti. Rwyt ti wedi arfer cael pobl i ddeud y petha rwyt ti am eu clywed ganddyn nhw. Dydy bywyd go iawn ddim felly, wst ti. I lawr yn fan'ma, yn y byd bob dydd, lle rwy i a 'nhebyg yn byw, dydy pobl ddim bob amser yn glynu wrth y sgript. Mae peryg iddyn nhw droi atat ti a siarad allan o dwrn. Oes gen ti'r syniad lleia am be rwy i'n sôn? Oes? Maen nhw'n troi a rhoi sioc i ddyn. Peth fel dy fod ti 'di bod yn galw "Mam" ar y ddynas rong trwy d'oes. Sypreis! Sypreis! Sgen ti mo'r syniad lleia!'

'Paid â bod mor hunandosturiol. Wyt ti'n meddwl 'mod inna heb orfod wynebu gwirionedda hallt? Y? Petha oedd yn arswyd imi ar y pryd.'

'Rwyt ti'n llwyddiannus, Mel Jones. Yn llwydd-iannus efo celc go dda o fyd y teledu 'na. Mi fedri di fforddio encilio i'r twll 'ma. Fedra inna ddim fforddio symud o' 'ma.'

'Fyddet ti ddim am neud hynny, fyddet ti?'

'Hy! Tria di fy stopio i! Petai gen i'r modd mi awn i mor bell i ffwrdd â phosib o'r blydi lle 'ma. Ac yn arbennig o'r tŷ a'r ddau hanner brawd 'na sy gen i. Dau fabi sgrechlyd y diawl. Fe ladda i un o'r rhei'na un o'r diwrnoda 'ma.'

'Os ydyn nhw'n sgrechlyd, dilyn eu brawd mawr maen nhw o'r hyn wela i.'

Rhuthrodd Paul ato a'i ddwrn yn yr awyr.

Camodd Mel yn ôl mewn pryd i arbed yr hergwd a daliodd y llanc o gylch ei ganol gan dynnu'r fraich nad oedd wedi troi ei llaw yn arf wysg ei gefn.

'Aw! Mae'n ddrwg gen i,' ebe Paul gan stopio strancio. 'Rwyt ti'n brifo 'mraich i.'

Gollyngodd Mel ei afael yn araf a dihangodd Paul i glydwch y soffa draw ym mhen arall y gegin. Cudd-iodd ei wyneb ym meddalwch y clustogau heb godi ei olygon at ei drechwr.

'Rwyt ti'n rhy barod o lawer i ddefnyddio dy ddyrna,' ebe Mel. 'Mi gei di gweir gan rywun un dydd ac wedyn fe fydd yn edifar gen ti.'

'Mae'n ddrwg gen i.'

'Ac rydw i yn deall, wir iti. Mi ddyla dy nain fod wedi dweud y gwir wrthyt ti flynyddoedd yn ôl.'

'Roedd pawb arall yn gwbod. Pobl y pentre. Yr hogia rown i yn yr ysgol efo nhw. Sut fedra i eu hwynebu nhw rŵan?'

'Mi fedri di. Achos rwyt ti'n oedolyn rŵan. Ac rwyt ti wedi cael tipyn o sioc, do, ond dydy o ddim o dragwyddol bwys. A dydy cuddio dy wyneb mewn clustog feddal ddim yn mynd i fod o help yn y byd. Tyrd, sych dy drwyn a rho help imi baratoi swper. Mi fydd Jon a Sharon Mair yma cyn pen dim.'

Cerddasai Mel draw at Paul wrth siarad a phlygodd yn ei gwrcwd wrth fraich y soffa lle cuddiai'r llanc ei ben.

'Mi fydd 'na hogan yma wedyn,' synfyfyriodd Paul heb na siom na llawenydd.

'Bydd,' cytunodd Mel, gan weld y dweud yn smala.

Cododd Paul ei freichiau am war y dyn a thynnodd ei ben oddi ar y glustog er mwyn ei guddio drachefn ar ysgwydd y dyn. Roedd yn gysurus a chadarn ac yn gwynto o chwys a blew. Y gwallt fel mwng cras o dan ei fysedd.

'Tyrd, Paul!' ebe Mel, gan gydio yn ysgwyddau'r llanc er mwyn ymryddhau. 'Rwy'n ddigon hen i fod yn dad i ti.'

Brathodd Mel ei dafod ond roedd hi'n rhy hwyr.

10

'Mae'r stafell yn hyfryd. Diolch. Rydych chi wedi bod yn brysur iawn ers imi alw adeg 'Dolig llynedd,' byrlymodd y ferch pan ddaeth i mewn i'r gegin.

Nid merch oedd hi, mewn gwirionedd, meddyliodd Paul, wedi ei synnu. Roedd hi'n llawn hyder hynaws a godai fymryn o fraw arno. Prin flwyddyn yn hŷn nag ef oedd hi.

'Rwy'n falch ei bod hi wrth dy fodd di,' ebe Mel. 'Eistedd. Mae swper ar y gweill gen i. Dim ond salad, mae'n ddrwg gen i. Fydda i bron byth yn trafferthu efo pryda poeth ar y tywydd hwn.'

'Na, hollol. Bydd salad yn fendigedig,' atebodd Sharon Mair. 'Rwy'n meddwl 'mod i'n mynd i fwynhau fy haf.'

'Rwyt ti'n ei haeddu o ar ôl yr arholiada 'na,' ebe ei thad.

'Dadi bach, arhosa tan ddaw'r canlyniada cyn siarad fel'na. Beth petawn i wedi methu'r lot?'

'Fyddi di ddim, siŵr iawn,' sicrhaodd hwnnw hi. 'Tyrd at y bwrdd.' Daeth y ddau draw. 'Fe gwrddaist ti â Paul gynnau fach wrth gyrraedd, on'd do?'

'Do. Sut mae, unwaith eto?'

Amneidiodd Paul ei ben.

'Paul fu'n helpu i roi trefn ar dy stafell efo Mel. Y nhw wnaeth y rhan fwyaf o'r gwaith, mae'n flin gen i.'

'Paid â phoeni, Dadi. Rwy'n cofio'n iawn cymaint rwyt ti'n casáu peintio a phapuro. Mae dy dalenta di'n gorwedd mewn cyfeiriada eraill. O! Ydy'r bwyd 'ma wedi dod o'r ardd?' gofynnodd wrth i Mel ddod â'r salad i'r bwrdd.

'Y rhan fwyaf ohono, ydy.'

'Gobeithio na fyddwch chi'n disgwyl i fi orfod gneud y bwyd a'r gwaith tŷ. Fyddech chi ddim mor gonfensiynol â chwarae rôlia felly yma, fyddech chi?'

'Na. Dim perygl,' atebodd ei thad.

'Na. Dyna oeddwn i'n ei feddwl. Rwy'n fodlon gwneud fy siâr, cofiwch. Ond dim mwy.'

'Beth yw dy gynllunia di, 'ta?' gofynnodd Paul iddi.

'Mi ddois i â llyfr neu ddau efo fi ac rwy'n dibynnu braidd ar i'r tywydd 'ma bara, imi gael mynd i'r traeth bendigedig 'na. Jest gwylia diog iawn a dweud y gwir, cyn bwrw iddi ar y bywyd academaidd 'na ym Mangor ym mis Hydref. Ymlacio, dyna sy gen i mewn golwg. Mae Mam wedi dweud wrtha i am ofalu nad ydw i'n gneud dim byd o bwys.'

'Sut mae dy fam, gyda llaw?' gofynnodd Mel.

'Iawn. Uwchben ei digon unwaith eto, yn ôl pob arwydd. Mae hi wedi mynd i Milan gyda Greame am yr haf. Wel! Wrth gwrs, rwyt ti'n gwbod hynny eisoes. Rhyfedd hefyd! Rwyt ti bob amser yn holi am Mam ond fydd Mam byth yn holi gair amdanat ti. Wn i ddim beth mae hynny'n ei brofi, 'chwaith.'

'Mae o'n profi pa un o'r ddau yw'r bitsh fwyaf,' dywedodd Jon.

Edrychodd pawb arno gyda chryn syndod a pheth casineb, ond ni ddywedwyd dim.

Bwytawyd y pryd mewn distawrwydd.

51

11

'Paul sy'n cael y flaenoriaeth yma rŵan,' ebe'r fam yn bendant.

'Felly mae ei dallt hi?'

'Ia. Fo ydy'r un sy wedi cael cam. Mae petha wedi digwydd yn y tŷ 'ma yn ddiweddar na ddyla fod wedi digwydd erioed.'

'Braidd yn hwyr i grybwyll hynny rŵan, Mam,' mynnodd Rhiannon.

'Rwy i'n mynd allan,' ebe Paul gan geisio gwthio heibio i'w nain yn y drws.

'Na. Aros funud. Chym'ra i ddim mwy na hynny,' aeth hithau yn ei blaen. 'Mae'n bryd i ti, Rhiannon, benderfynu lle i fynd. Fedri di ddim aros yma am byth. Does dim lle. Hen bryd iti fynd â dy hun a'r hogia yn ôl at eu tad, os wyt ti'n gofyn i mi.'

'Wnesh i ddim gofyn ichi.'

'Wel! Dos i gael tŷ cownsil 'ta. Neu i rentu lle i ti dy hun os ydy'n well gen ti. Fedri di ddim aros yn fan'ma am byth. Does dim lle yma.'

'Dim lle neu dim croeso?'

'Dydy o fawr o wahaniaeth p'run, 'merch i. Dwyt ti ddim yn deg ar dy dad na Paul wrth oedi yma dros yr haf. Mae'r lle 'ma'n ddigon cyfyng jest i'r tri ohonon ni. Ti dynnodd dy drafferthion am dy ben dy hun. Nid John daflodd di allan. Ti adawodd o. Rŵan, rhaid iti ddod i ryw benderfyniad, gyda dy dad a Paul a finna does dim lle yma.'

'Petaet ti heb fy nghenhedlu i mi fyddai yma ddigon o le.' Achubodd Paul ar ei gyfle i gael ei big i mewn. 'Jest meddylia!'

'Cau di dy geg. Rwy i wedi cael llond bol ar dy sterics di ers wythnosa. Ac wyt ti'n meddwl nad ydw i wedi 'difaru ganwaith dy gael di? Bydd ddiolchgar na chafodd y ddeddf erthylu 'na ei phasio flwyddyn neu ddwy ynghynt. Jest bydd ddiolchgar am hynny, 'ngwas i! Neu fyddai 'na ddim sôn amdanat ti na dy sterics.'

'Rhiannon!'

'Wel! Mae o'n wir. Waeth iddo gael gwbod y gwir ddim,' atebodd hithau.

'Dyna ddigon ar y ddau ohonoch chi,' dyfarnodd mam y ddwy genhedlaeth, ond nid oedd fawr o awdurdod yn ei dyfarniad.

Gwasgodd Paul ei ffordd heibio iddi yn y drws a rhuthrodd heibio i'w daid oedd yn y gegin yn golchi ei ddwylo ar ôl dod o'r ardd.

Allan ar y traeth roedd heidiau o ymbleserwyr a draw ar dywel oren llachar roedd rhywun yn edrych arno. Aeth Paul yn nes a chael Sharon Mair yno'n gorwedd mewn siwt nofio dau ddarn.

'Mae'n ddrwg gen i rythu,' ebe hi. 'Doeddwn i ddim yn siŵr ai ti oeddet ti.'

'O! Ia. Fi ydy fi,' atebodd yntau'n lletchwith.

Roedd hi'n bur dal o ferch. Gydag esgyrn mawr. Ond siapus, serch hynny. Y canol main a'i groen llyfn yn cydbwyso gyda'r ysgwyddau llydan. Bronnau llawn yn gorffwys o dan ddefnydd ei bicini. Y cyfanwaith yn drawiadol a deniadol o chwyslyd ar y canfas oren.

'Rwy i wedi bod yn ceisio darllen ond mae'r haul yn brifo fy llygaid. Ac mae'n anodd gweld pwy yw pwy yn y tes.'

'Ydy. Gest ti liw haul byth?'

'Fe alli di farnu'n well na fi.'

'Mae'n anodd deud . . . yng ngolau'r haul.'

'Wel! Rwy'n benderfynol o fwrw'r prynhawn yma ar ei hyd. Doed a ddelo.'

'Ble mae Mel prynhawn 'ma?'

'Hafod Dywod. Mae'n disgwyl i rywun alw ynglŷn â rhyw sgript. Doeddwn i ddim am fod o dan draed. Neithiwr ddiwethaf roedden ni'n sôn amdanat ti.'

'Amdana i! Wel! Dyna bwnc anniddorol!'

'Dim ond deud nad oedden ni wedi dy weld ers rhai dyddia oedden ni. Dwyt ti ddim yn cadw draw ar fy nghownt i, gobeithio.'

'O! Na!'

'Roedd yn ddrwg gen i glywed am dy drafferthion di.'

'Trafferthion?'

'Ie. Darganfod pwy yw dy fam go iawn a phopeth. Fe ddwedodd Mel wrtha i.'

'Ddaru o?'

'Wel! Do. Mae'n rhaid inni siarad â'n gilydd fin nos, wedi'r cyfan. Caeth o flaen y teledu fydd y rhan fwyaf, rwy'n gwbod, ond dydy o ddim yn ddefnydd adeiladol iawn o lygaid a chlustia, ydy o? Heb sôn am amser.'

'Wn i ddim! Mae'n dibynnu ar be wyliwch chi, ddeudwn i.'

'Wel! Ie. Yn hollol. Does 'na ddim byd ond chwaraeon ac ailddangos rhyw gyfres roedd Mel yn ymhêl â hi dair blynedd yn ôl.'

'Mae'r byd wedi symud ymlaen dipyn ers hynny.'

'Ydy, yn hollol,' cytunodd y ferch. 'Dyna pam rwy'n deud wrthyt ti am beidio â phoeni'n ormodol. Rydw inna wedi gorfod dod i delera â'm rhieni fy hun. Mae rhieni yn gallu bod yn broblem ar y gorau. Er na fyddai'r rhan fwyaf ohonyn nhw byth yn cydnabod hynny. Popeth er budd y plant yw hi fel arfer.'

'Wyt ti'n meddwl?'

'Wel! Ydw, siŵr iawn. Paid ag amau popeth rwy'n ei ddwweud trwy'r amser. O! Roedd hi'n anodd dygymod ar y dechrau, wrth reswm. Ond does dim problema nawr. Dyna pam rwy'n gobeithio gneud yn dda yn yr arholiada—er mwyn gadael iddyn nhw wbod na fu unrhyw niwed parhaol.'

'Ydyn nhw'n gofidio 'ta?'

'O! Ydyn. Er, eto, fydden nhw byth yn cyfaddef hynny. Ond maen nhw'n methu'n lân â maddau iddyn nhw'u hunain. Eistedd os mynni di. On'd ydy hi'n fendigedig yma?'

'Oes dim ots gen ti rannu tŷ efo Mel a thitha yno ar dy ben dy hun?'

'Rargol, nac oes! P'run bynnag mae Dadi'n dod eto nos fory. Mae'n rhaid i'r creadur bach weithio am ei damaid. Wel! Ei damaid ei hun a fy nhamaid i, a deud y gwir. Mae Mam yn gwrthod cymryd yr un ddimai ganddo. Dim ond cyfrannu at fy nghynnal i fydd Dadi. A be wnawn i heb Mel, a Mam yn hel ei phac i'r cyfandir am yr haf! Amddifad bychan ydwyf. A fedrwn i ddim meddwl am le neisiach i fod yn amddifad ynddo.'

'Ble? Y twll yma?'

'Twll ydy o i ti, digon posib. Pan ydych chi'n byw mewn twll trwy'r flwyddyn, twll ydy twll. Ond i amddifad ar wylia mae'r twll yn hafan hyfryd. Un o eironis bach creulon bywyd. Mae bywyd yn llawn ohonyn nhw, ebe Mam. Pam na wnei di eistedd? Mae'n brifo fy llygaid i i sbio i fyny arnat ti trwy'r amser.'

Ystyriodd Paul a ddylai wneud ai peidio. Ar dywel y ferch roedd sbectol haul, tiwb o hylif, llyfr a'r ferch ei hun. Roeddynt oll ar yr un tywel. Penderfynodd yntau eistedd ar y tywod. Yn ei hymyl. Ac eistedd, nid gorwedd.

'Pam mae gen ti ddau enw? Sharon Mair! Mae pawb yn defnyddio'r ddau enw wrth gyfeirio atat ti.'

'Ydyn nhw? Dim ond Mel fydd yn defnyddio'r ddau yn rheolaidd bellach, rwy'n credu. Mae o'n rhyw fath o symbol o dor-priodas Mami a Dadi. Fy enw i, hynny yw. Roedd ganddyn nhw gytundeb i ddefnyddio'r enw llawn bob amser. Ond mae hwnnw wedi ei dorri, fel pob cytundeb arall.'

'Cytundeb?'

'Ie. Wst ti be oedd yr anghydfod mawr cynta gawson nhw? F'enw i. Roedd Mam am alw fi'n Sharon. Roedd Dadi am alw fi'n Mair. Felly dyma gyfaddawdu.'

'Sharon Mair,' ebe Paul gan wenu.

'Dyna ti. Ond roedd y ddau yn derbyn yr enw ar yr amod eu bod nhw'n defnyddio'r enw llawn ar bob achlysur. On'd yw hi'n stori wallgo! Wrth gwrs, erbyn hyn mae'r rhan fwyaf o bobl jest yn galw fi'n Sharon. Dim ond Sharon fues i i Mam ers y diwrnod y gadawodd Dadi. Ac mae Dadi ei hun jest yn dweud Sharon rŵan, gan amlaf.'

'Ar ôl iddo fynnu cael y Mair!'

'Ie. Wel! Gwan ydy o, ti'n gweld.'

'Bradychu ei ddaliada, Sharon Mair.'

'Na. Jest gwan ydy o. Fedr o ddim cadw'n ffyddlon i neb na dim. Dim i ddaliada. Dim i bobl. Doedd o ddim yn ffyddlon i Mam. Dydy o ddim yn ffyddlon i Mel. Does gynno fo mo'r help. Rhaid inni i gyd ddysgu byw efo fo, dyna i gyd. Ac mae o'n lot o hwyl, dwyt ti ddim yn meddwl?'

'Ydy o? Dwy i ddim yn gyfarwydd iawn ag o.'

'Nac wyt ti? O! Mae o'n reit ddeallus, wyddost ti. Ganddo fo rwy'n cael fy mreins. Mae pobl yn meddwl am ei fod o'n drydanwr na all o fod yn ddeallus iawn, ond mae o. Ches i ddim galluoedd ymenyddol gan Mam, mae hynny'n siŵr.'

'Ac i'r Brifysgol rwyt ti am fynd, ia?'

'Ie. I ddatblygu fy mhotensial. I Fangor.'

'O! Ia.'

'Ie. Os ca i fynd i mewn. Mae Mam yn meddwl y dylwn i gael rhyw efo rhywun cyn gynted ag y medra i ar ôl cyrraedd yno. O! Nid ei bod hi am imi fyw yn gwbl wyllt, wrth reswm. O! Na. Rwy i wedi cael y darlithoedd arferol i gyd—ynglŷn â byw'n gymedrol a bod yn ofalus a pheidio â bod yn rhy gocwyllt. Ond mae hi wedi fy siarsio i i golli 'ngwyryfdod gynted medra i. Ei ffordd hi o feddwl yw y bydda i'n bwrw ati i wneud tipyn o waith caled ar ôl cael hynny o'r ffordd. Dyna ddangos iti pa mor dwp yw hi! Rwyt ti'n dawel iawn! Be sy?'

'Dim. Gwrando arnat ti rydw i.'

'Wnei di roi peth o'r stwff 'na ar 'y nghroen i?' gofynnodd gan estyn y tiwb o hylif ato. 'Dwy i ddim am losgi.'

'Na, dwy i ddim yn meddwl yr hoffwn i hynny,' atebodd Paul.

'O! O'r gorau. Ond does dim angen bod yn swil. Rwyt ti'n ddeunaw rŵan, wyt ti ddim? Doedd Mami a Dadi fawr hŷn na hynny pan briodson nhw. Ac nid gorfod priodi ddaru nhw 'chwaith. Rwy i wedi gweithio'r peth allan i gyd. Rwy'n meddwl fod Mam wedi cytuno i'w briodi er mwyn iddyn nhw allu cael rhyw mewn lle cysurus. Dyna fel y bydda meddwl Mam yn gweithio. Mae ei synnwyr hi o resymeg yn giami ar y naw. Dyna pam mae hi am i fy nhro cynta i fod yn un o'r hosteli neis 'na sy gan y Brifysgol. Wst ti, *y mod cons* i gyd; gwres canolog a charped ar lawr a phowlen 'molchi yn y gornel? Wrth gwrs, roedd bod yn briod yn bwysig iddi hefyd. Sôn am pam briododd hi Dadi rydw i rŵan. Rwy'n gallu cofio pan own i'n ifanc iawn, sylwi ei bod hi bob amser yn cyfeirio at Dadi fel 'fy ngŵr' pan oedd hi'n siarad â phobl ddieithr. Roedd mama fy ffrindia yn tueddu i alw eu gwŷr wrth eu henwa cyntaf, ond nid Mam. Chlywais i erioed mohoni'n sôn wrth neb am Jon. Roedd yn well ganddi bwysleisio'r berthynas. Mae ''Mae'n rhaid imi fynd 'nôl at fy ngŵr'' yn dweud llawer mwy na ''Mae'n rhaid imi fynd 'nôl at Jon'', yn tydy?'

'A beth yn y byd mae hynny i gyd yn ei brofi?'

'Fod y ffordd rydan ni'n cyfeirio at betha yn bwysig, siŵr iawn. Wrth gwrs, bu llawer tro ar fyd ers hynny yn achos Mam. ''Tad Sharon'' yw Dadi ganddi rŵan. Neu hyd yn oed ''Jon'' weithiau. Rŵan fod y berthynas ar ben daeth rhyddid newydd i'r tafod. Ac mae hi'n dal i wisgo'r modrwya priodas a dyweddïad roddodd Dadi iddi. Er fy mwyn i, ebe hi. Rŵan, esgusoda fi. Imi gael troi ar fy mol a mynd yn ôl at Graham Greene a'i lygredd.'

'Be?'

'Fy llyfr, siŵr iawn.'

'Rown i'n meddwl mai sôn am gariad newydd dy fam roeddet ti.'

'Rargol fawr,' chwarddodd y ferch yn afreolus. 'Fedr hwnnw sgwennu dim byd ond siecia. A ph'run bynnag, nid yr un ffordd mae o'n sillafu Graham.'

'Sillafiad gwahanol,' meddai Paul yn annelwig.

'Ie. Ji. Âr. I. Ei. Em. I.,' sillafodd Sharon Mair yn Saesneg. 'Dyna sut mae cariad Mam yn sillafu ei enw. Nid Ji. Âr. Ei. Eitsh. Ei. Em. fel hwn.' A fflachiodd glawr y llyfr i gyfeiriad Paul.

Gorweddodd hwnnw yn ôl ar wastad ei gefn ar y tywod cynnes. Roedd yn chwys drabŵd gan arabedd hon. Yr huotledd a'r hyder. Ac yn y pellter, sŵn y lleill. Y siarad a'r chwerthin a'r cicio. Cicio pêl a thywod a dŵr. Estroniaid dros dro yn carlamu o'i gwmpas. O'u cwmpas. Sharon Mair ac yntau. Eu sŵn yn drysu ei ben. Ei lygaid ar gau wrth i ruthr y creaduriaid ysgwyd y twyn oddi tano. A'r tywod yn gynnes ar ei war.

'Rhyfedd y gwahaniaeth mae un llythyren fach yn ei neud,' ebe'r ferch wedyn gan droi ar ei bol yn ôl ei hafiaith. 'Mae hwn,' aeth yn ei blaen gan gyfeirio o hyd at ei llyfr, 'yn rhoi'r E ar ddiwedd y gwyrdd.'

'Be?'

'E. E Gymraeg. Yr I Saesneg. Ar ddiwedd ei s'nam. Greene. Wyt ti'n deall? Does 'na ddim I i fod ar ddiwedd *green*—y lliw, hynny yw.'

'Na. Rwy'n gwybod hynny, siŵr iawn,' ebe Paul yn ddig.

'Wel! Dyna ni. Dyna iti'r gwahaniaeth mae un llythyren fach yn ei wneud. Ond siawns nad wyt ti wedi sylweddoli hynny efo enw 'run fath â Paul. Saul oedd Paul i ddechrau. Saul! Paul! Wyt ti'n dallt?'

'Ydw. Fel Mair yn troi'n Ffair.'

'Neu Pair neu Caer.'

'Neu Tair neu Saer.'

'Ie. Dyna ti.' A gwenodd arno'n smala.

Cododd Paul. Ar ei eistedd. Ar ei gwrcwd. Ac yna ar ei draed. Ei esgidiau haf yn suddo i'r meddalwch. Camodd ymaith yn araf. Bob cam a gymerai roedd ôl y cam blaenorol yn diflannu. Siâp yr esgid yn gadael dim o'i hôl yn y tywod sych nad oedd y môr byth yn ei gyrraedd.

'Hei!' galwodd hithau ar ei ôl. Nid rhagor o arabedd, gobeithiai Paul.

'Be?'

'Tyrd draw i swper heno. Fi sy'n cwcio. *Beefburgers* a tships, o'r gora!'

'O'r gora!' gwaeddodd yn ôl. Troes ei gefn arni eilwaith ac ymlwybrodd trwy'r tywod yn ôl at y tŷ.

Yno, eisteddai Rhiannon ar gadair ger drws y cefn, gan ddal ffag yn un llaw a beiro yn y llall. Cnoai ben y beiro wrth bendroni dros gliw yng nghroesair y *Sun*.

'Mae'n saff i chdi fynd i mewn,' ebe hi'n bryfoclyd.

'Be?'

'Mark a Mathew allan efo'u nain. Efo Nain.'

'Iawn.'

Oedodd Paul wrth garreg y drws ac yna troes yn ôl at y llwybr a âi trwy ganol gardd ei daid.

'Rhiannon!'

'Be rŵan? Wyt ti ddim yn fodlon? Rwy'n gorfod gadael. Wedi cael fy *marching orders*. Ydy hynny ddim yn ddigon iti?'

'Cyn iti gael dy hel o'r lle 'ma mae'n rhaid iti ddeud wrtha i . . . Mae'n rhaid iti ddeud wrtha i pwy oedd 'y nhad i.'

Ochneidiodd Rhiannon.

Troes Paul yn ôl ati i roi ei sylw yn llawn iddi. Llyncodd yntau ei boer i gyd-fynd â'i hochenaid. Roeddynt ynghyd mewn poen. Roedd yn rhaid i'r gwir gael ei eni. Rhyngddynt. Rhyngddynt roedd y lludded wedi dod i'w benllanw.

Ymglywai Paul â sŵn ei ddechreuad. Deunaw mlynedd o gof marw. Deunaw mlynedd a naw mis o oedi. Yr oedi cyn yr anadl einioes. Gwres cnawd yn lle cerrig o gelwyddau. Sgrech hanes yn lle hwiangerdd myth.

'Wel! Mae'n anodd,' dechreuodd Rhiannon, fel petai hi'n dechrau simsanu. 'Efallai nad ydy hyn yn deg arno fo.'

'*Come on!*'

Roedd o fewn dim i ganfod gwreiddyn ei holl wythiennau.

'Rown i am ddeud wrthyt y noson o'r blaen . . . noson dy ben-blwydd. Ond pan ddechreaist ti fy hitio i, mi benderfynish i beidio.'

Taranai twrw o'r bôn byw. Yn y dechreuad yr oedd . . . Yr oedd cariad. Yn y dechreuad yr oedd y Gair a'r Gair oedd gyda Duw. A Duw cariad yw. Felly yr un oedd y dechrau. Yr un cariad. Yr un blys. Yr un gorfoledd. Yr un ennyd awr. Un trwst. Un tro. Un tawch yn codi. Un bywyd ar drai. Un arall yn ymchwyddo at y llanw. Ei fywyd ef yn bwrw'r traeth. Gosteg deunaw mlynedd o fagu mewn anwiredd ar ben. Nawr y storm. Nawr hyn—yr oedi olaf. Y plwc bach tyngedfennol.

Ton ar ôl ton. Y disgwyl am ddatguddiad. Y byddardod rhythmig. Roedd twyll ar garlam. Ei dad ar ffo. Gyrru. Cilgwthio. Cicio. Sbarduno. Pigiadau milain yn y cnawd yn ewynnu gwaed o'r chwys. Yn gyrru, gyrru . . . Gyrru tua'r gwyll yn y gorllewin. Rhag i neb ddal golwg ar ei wyneb. Fel cowboi sydd wedi cael ei awr.

'Liam Coles y garej ydy dy dad di.'

Eiliadau o dawelwch. Yna siaradodd hithau eilwaith.

'Dim sterics! Dyna fi wedi deud wrthyt ti ond dim sterics . . . plîs.'

'Liam Coles!'

Chwys oer yn rhaeadru dros y twrw. Troes ei gefn arni. Troi a throsi'r drychineb yn ei ben. Tawelwch o drychineb. Oer ac estron. Y datguddiad hwn.

'Liam Coles! Y blydi Gwyddel 'na! Y fo!'

'Dim sterics. Fe ddeuda i'r cyfan wrthyt ti ond fedra i ddim dioddef dy sterics di.'

Chwalwyd y garreg yn archoll cignoeth, coch. Y fath ddiniweidrwydd fu'n byw mewn corff dyn. Roedd yn ddeunaw. A myth y gwaed cyfangoch wedi ei chwalu. Arlliw o borffor a gwyrdd yn gymysg â'r cyff. Celloedd estron. Celloedd estron ac yntau wedi bod mor saff o'i hil. Celloedd estron o ynys arall.

'Liam Coles! Ond mae o'n ddigon hen i fod yn dad iti!'

'Ac yn daid i titha! Paid â jest gweld bai arna i trwy'r amser.'

'Ydy o'n gwbod?'

'O! Mae o wedi mynd yn foel a magu tipyn o floneg rŵan,' aeth Rhiannon yn ei blaen fel petai hi heb glywed. 'Ond roedd o'n rhwbeth gwerth edrych arno bryd hynny. Fel duw yn union wrth farch-ogaeth ei geffyla ar draws y traeth 'na. Wel! Wnesh i erioed feddwl amdano fel duw 'chwaith. Ddim ar y pryd. Dwy ddim y teip i feddwl am ddynion fel duwiau.'

'Dwyt ti ddim y teip i feddwl o gwbl.'

'Doedd neb yn disgwyl imi feddwl! Hogan ysgol oeddwn i. Wel! I bob pwrpas. Newydd adael oeddwn i ac mi gesh i waith draw yn y stabla. Mae genod ifanc yn hoffi reidio ceffyla. Wyddet ti hynny? Wel! Dyna'r ddamcaniaeth. Doedd gen i fawr o ddiddordeb a deud y gwir, a charthu fyddwn i gan fwya. Nid 'mod i wedi rhoi fy sylw i gyd i'r gwaith, a deud y gwir. Roedd yno atyniada eraill.'

'Na, paid!'

'Wyt ti am glywed ai peidio? Dyma dy unig gyfle di. Rwy i wedi ffonio John i ddeud 'mod i'n mynd yn ôl. Fydda i ddim yma lawer yn rhagor. Waeth iti wrando ddim. Pan feichiogish i nid fo gafodd y gwaethaf ohoni gan bobl. Y fi oedd wedi gneud amdani. Wedi mynnu cael fy mhump arno. Wedi hudo'r creadur ar gyfeiliorn. Dyna ddeudodd pawb. Ac mi roedd o'n wir. Wel! I raddau helaeth, p'run bynnag.

'Aros ymlaen yn hwyr i roi gwellt glân ar lawr fyddwn i i ddechrau. Yna, esgus cael gwersi marchogaeth ganddo. Gyrru ar gefn ei hen gel hoff i fanna tawel yn y twyni fydden ni.'

'Allan yn fan'na!' bytheiriodd Paul gan godi ei fys i gyfeiriad y môr. 'Yn y tywod. Dyna lle roeddech chi wrthi?'

'Wel! Roedden ni'n dod oddi ar gefn y ceffyl, debyg iawn. Plentyn siawns nid plentyn syrcas oeddet ti.'

'Yn y tywod. Gyda'r ceffyl gerllaw yn gweryru ei ddiflastod. Felly roedd hi, ai e? Y? Anadl poeth uwch eich penna chi. Y? Beth oedd o? Stalwyn? Caseg? Y carna'n cicio'r tywod dros dy flys di. Blino aros, wnaeth o? Y? Y cont yn hir yn dod?'

Troes y twrw yn eiriau. Y pryder wedi ei leisio. Orig ddu a dig ond pur ddiangerdd.

'Paid â chael sterics eto, Paul, dyna hogyn da,' ebe Rhiannon heb fawr o ôl gofid ar ei llais, fel petai hi'n synhwyro fod y gwaethaf drosodd. 'Rŵan gad imi orffen y croesair 'ma mewn heddwch.'

'Gorffen y croesair. Dyna i gyd sy gen ti i'w ddeud?'

'O! O'r gorau. Os wyt ti isho'r stori i gyd, dyma hi. Mi ddoish i'n feichiog. Doedd dim amdani ond mynd i ffwrdd. Mi gest ti dy eni yn Lerpwl ac fe fabwysiadodd Mam a Dad ti, gan gymryd 'y maich oddi arna i. Fe gwrddish inna â George—mwya'r piti —a'i briodi. Wedyn fe briodish i John. Rhyngot ti a fi rown i wedi gobeithio ailgynnau'r tân yn ôl fan'ma ond nid felly mae hi i fod, allwn i feddwl.'

'Be wyt ti'n feddwl?'

'O! Na hidia! Rŵan ei bod hi wedi marw, rown i wedi meddwl . . . ! Ond na hidia.'

'Rwyt ti'n codi cyfog arna i.'

'Rwyt titha wedi codi cyfog arna inna. Bob bore am dri mis solet.'

Rhuthrodd Paul i fyny'r grisiau gan gau drws y cefn yn glep. Aeth i'w ystafell ei hun a disgyn ar ei fol ar y gwely.

Ychydig wedyn clywodd gamau ei fam yr ochr arall i'r drws. Ac yna ei llais.

'Rydw i wedi dysgu byw efo be ydw i ers blyn-yddoedd, wst ti,' ebe hi. 'Hen bryd i titha wneud yr un peth.'

Rhan 2

Y Ffair

1

Croesodd yr wylan y ffordd fawr yn ddianaf.

Hedfanasai uwchben, tra collai Paul ei amynedd ar y palmant islaw.

Nid oedd am fod yn fab i Liam Coles. Pam gebyst fu'n rhaid iddi hi ddweud wrtho? Hi, Rhiannon. Ni fedrai ei galw yn chwaer nac yn fam. Dim ond Rhiannon oedd hi iddo nawr. Y Rhiannon ddrwg, ddieflig.

Rhuthrodd ar draws y ffordd gan osgoi ei angau o drwch blewyn. Y llif ceir yn ddiddiwedd. Ei amynedd ar ben. Ei goesau'n chwim. Cyrhaeddodd yr ochr draw yn ddiogel ond roedd yr wylan eisoes hanner y ffordd i fyny'r mynydd. Nid oedd dal arni. Tywydd teg a drycin. Dim ond ef oedd wedi ei ddal. Y storm. Y storm sy'n siglo'r crud. Y carnau'n cicio'r swnd fel bedydd dros ei dalcen.

Rhynnodd wrth syllu'n ôl ar y myrdd moduron. Mor hawdd y gallasai gael ei ladd. Petai wedi baglu. Petai wedi camgymryd cyflymder y car. Ond ef oedd yr un oedd wedi ei ddal. Wedi ei ddal mewn eiliad o amser wrth i anadl einioes roi chwyth i fflam ei fywyd ym mhenllanw anghyfreithlon chwant. Roedd y tywod yn ei fêr. Yr hap Gwyddelig gwirion yn y gwaed. Siawns na fyddai fyw i fod yn gant!

Trodd ei gefn ar y drafnidiaeth a cherdded yn wargam i lawr y lôn. Heb esgyll. Heb wisg wen. Ymhell o'r giang a'r mynydd. Heb ddim ond ewyn o ddicter yn blaendasgu yn y twll mawr du a elwid bywyd.

Gobeithiai fod rhywun yn edrych arno o un o ffenestri Hafod Dywod. Rhywun yn rhyfeddu at faint ei bruddglwyf. Mel, efallai. Mel, yn arbennig. Gobeithiai fod Mel yn sbio arno'n cerdded yn fwriadus drist ar hyd y lôn ac at ddrws y cefn. Roedd rhyw lonyddwch cynnes yn llygaid hwnnw. A chysur rhyfedd mewn gorffwys pen ar ei ysgwydd. Pe gorweddai holl ofidiau'r byd ar yr ysgwyddau hynny, fe orweddent yn llonydd. Wedi eu teipio'n ddestlus yn ôl llythyren y ddeddf. Holl reolau'r ffordd fawr ddynol ar gof a chadw ganddo, mae'n rhaid, meddyliodd Paul. Cariad fel ceir iddo—yn gorfod cadw at y llwybr cul.

'Mae'r blydi lot wedi llosgi'n ulw,' oedd geiriau cyntaf Mel pan gerddodd Paul i mewn i'r gegin. Roedd wedi ffwndro. Wedi cynddeiriogi tipyn. Wedi ymharddu trwyddo.

Cynhyrfodd Paul. Mewn dicter fymryn. Mewn dyhead fwy. Ble'r aeth y llonyddwch? Roedd yn mynd i fwrw Mel os na fyddai hwnnw'n ofalus. Newid naws fel hyn. Cynhyrfu'r ysbryd heb gynnig cnawd i'w leddfu. Paham na fu wrth ffenestr yn ei wylio'n dod at y tŷ? Paham na châi syrthio i gysgu yn eigion llonydd y llygaid glas hynny?

'Llosgi?'

Daeth y Paul pwdlyd, tawel, arferol yn ôl i'w oed. Cuddiodd y cynnwrf â chwestiwn gwirion. O feddwl, roedd 'oglau llosgi i'w glywed yn drwm ar yr ystafell.

'Sharon Mair a'r swper,' eglurodd Mel. 'Wedi llosgi. Rwy i newydd roi llond pen iddi.'

'Llond pen?'

'Ie. Pryd o dafod. Row.'

'Ydy hi wedi brifo?'

'Llosgi wnaeth hi. Yn yr haul, prynhawn 'ma. Yno mae hi wedi bod trwy'r dydd. Yna, dod adre yma a rhoi tships ar y tân a'u gadael. Petawn i heb ddod i mewn pan wnes i, mi fydda'r lle 'ma'n wenfflam.'

'Ble'r aeth hi?'

'I fyny'r grisia i roi rhyw stwff ar ei chroen, os gweli di'n dda. Mynd a gadael y sosban tships.'

'Ble mae hi rŵan?'

'Wedi llyncu mul.'

'Fe wahoddodd hi fi draw am swper.'

'Gwell iti gymryd gwin 'ta.'

Roedd potel o win ar y bwrdd. Wedi ei hagor ond heb ei chyffwrdd.

'Ble mae Sharon rŵan?'

'Yn y llofft. Rown i'n wyllt gacwn pan weles i'r llanast mae hogan benchwiban fel 'na'n gallu ei achosi. Ond tyrd, cymer win ac fe awn ni allan ein tri i fwyta. Mae 'na ffair yn y dre heno. Wyddet ti?'

'Wrth gwrs. Mae hi yno bob blwyddyn.'

'Ddoi di gyda ni, Sharon Mair a fi?'

'Dof,' atebodd Paul. 'Ond does arna i fawr o awydd bwyd. Rwy'n gwbod rŵan pwy 'dy 'nhad i. Fe ofynnish i i Rhiannon prynhawn 'ma. Yn union fel yr argymhellest ti.'

'Wel!' ebe Mel, gan oedi eiliad wrth arllwys dau wydraid o win.

'Fedra i ddim deud wrthyt ti. Fe fyddi di'n chwerthin.'

'Rwyt ti'n 'nabod i'n well na hynny bellach, wyt ti ddim?'

'Ydw, debyg,' ildiodd Paul ond oedodd wedyn cyn

71

dweud dim byd. 'Liam Coles, boi y garej. Wel! Boi y garej rŵan. Boi'r ceffyla gynt.'

Gwenodd Mel ond ni chwarddodd.

'Dyna ti 'te. Dyna'r dirgelwch yna drosodd. Rŵan, fe fedri di roi'r peth o dy gof a dechrau byw.'

'Mor syml â hynny? Wyt ti'n meddwl ei fod o mor syml â hynny?'

'Cym win a phaid â phregethu.'

'Mae o mor syml â hynny i ti, yn tydy?'

'Ydy. Rwyt ti'n fyw ac yn iach a newydd gael dy ddeunaw. Wnaiff o fawr o wahaniaeth rŵan pwy ydy dy rieni di. Rwyt ti yma i yfed ac am fynd allan am bryd o fwyd a ffair. Dyna i gyd sy'n bwysig.'

Estynnodd Mel wydraid o win iddo ac yfodd Paul yn ddidaro. Nid oedd wedi arfer â gwin. Heb yfed fawr ohono erioed. Blasai'n goch a braidd yn chwerw a theimlai'r gwydr yn frau a thila rhwng ei fysedd. Tybed a ddylai ei ddal wrth y coesyn? Oedd o'n win drud ynteu plonc yn unig ydoedd?

'Dos di i gael gair â'r hogan wirion,' cymhellodd Mel gan arllwys gwydr arall o win. 'Dwêd wrthi 'mod i'n maddau iddi a'n bod ni'n mynd allan i fwyta.'

'Be?' Y syndod wedi damsangu ar gyrn ei letchwithdod.

'Sharon Mair! Dos â hwn iddi a dwêd wrthi am ddod i lawr.'

'Rwyt ti'n ceisio cymodi pawb trwy'r amser,' cyhuddodd Paul. 'Fedri di ddim rheoli dicter pawb yn barhaus, wst ti.'

'Nid dy neud di'n anhapus yw 'mwriad i. Rwyt ti'n gwneud hynny'n rhagorol heb gymorth yn y byd gen i.'

'Mae'n ddrwg gen i,' meddai Paul a bu ond y dim iddo ruthro at y dyn ac erfyn am faddeuant. Troes hwnnw ei ben oddi wrtho fel na fedrai weld ei lygaid mwyach.

Cloffodd Paul. Ni fedrai ddeall yn iawn yr hyn y dyheai amdano. Ni fedrodd erioed ddygymod â geiriau mawr. Un trybeilig o sâl am sillafu fu o yn yr ysgol.

Cododd y gwydryn llawn o win a cherddodd yn ofalus i fyny'r grisiau gan alw enw'r ferch.

'Gwin,' galwodd gan gicio'r drws y bu unwaith mor ofalus yn ei beintio.

'Tyrd i mewn.'

Gorweddai'r ferch ar y gwely a'i chefn ar y wal.

'Gwin coch.'

'Felly rwy'n gweld.'

'Mel yn meddwl yr hoffet ti wydraid.'

'Diolch. Fe ges i gweir ganddo. Yn eiriol, hynny yw. Ddaru o ddim cyffwrdd â mi'n gorfforol, wrth gwrs.'

'Mi glywish i.'

'Wyddwn i ddim fod ganddo'r gyts i fod mor flin.'

Camodd Paul draw ati ac eistedd ar erchwyn y gwely ar ôl estyn y gwydryn iddi.

'Rwy i wedi llosgi dy swper di!'

'Do. A dy groen. Rwy'n hanner Gwyddel, wst ti.'

'Wel?'

'Teimlo'n rhyfedd, dyna i gyd.'

'Mae rhieni yn medru bod yn boen a blinder. Fe ddysgi di! Ych a fi! Hen win rhad yw hwn. Dydy'r Mel 'na ddim yn credu mewn gwastraffu ei win gorau arnon ni, ydy o? Wyt ti'n dod i'r ffair 'ma heno?'

'Ydw.'

'Rwy'n falch. Gobeithio y bydd yno le go dda. Ydy'r caridýms lleol yn cwffio a meddwi a ballu? Fydd yno dipyn o "liw lleol", chwedl Mam?'

'Bosib!'

'Fe bryna i beint iti. Neu wyt ti'n rhy ifanc o hyd?'

'Na. Rwy'n ddeunaw bellach.'

'Dim ond *teenager* wyt ti o hyd, cofia. Ond fe bryna i beint i ti.'

'Gwell gen i beint hefyd na'r gwin 'ma.'

'Mae gwin coch yn gneud mwy i'ch bywyd rhywiol chi na gwin gwyn. Wel! O leiaf, dyna . . .'

'. . . mae dy fam yn deud.'

'Na. Darllen hynny mewn rhyw gylchgrawn wnes i. Ond gan dy fod ti'n ddigon hen i yfed peintia, does dim problem.'

'Debyg iawn. Rwy'n ddigon hen i lot o betha.' A throes ati'n hy, yn afrosgo a dibrofiad. Am eiliad roedd o am ei chusanu.

Troes hithau ei phen o'r neilltu gan godi'n ddiamynedd.

'Paid â dechrau bod yn wirion,' ebe hi'n siomedig, ei llygaid yn troi'n fwll wrth siarad. 'Rwy i wedi gwneud digon o ffŵl ohonof fy hun heddiw'n barod.'

'Cadw dy hun i ryw Sais tua Bangor 'na, wyt ti?'

'Cadw fy hun i brofiada y tu hwnt i'r tŷ hwn, p'run bynnag. Hwn fydd haf olaf fy ngwyryfdod i, rwy'n meddwl. Ydw, rwy'n siŵr o hynny a dweud y gwir.'

'Wyt ti'n disgwyl gadael 'ma wedi cyrraedd dy lawn oed a phrifiant?'

'Paul druan,' lled-chwarddodd Sharon Mair yn ddoeth. 'Rown i wedi cyrraedd fy llawn oed a phrifiant ymhell cyn imi erioed roi troed dros drothwy'r drws. Tyrd, neu fe fydd Mel yn meddwl lle rydan ni.'

Roedd Paul yn ddigon agos i ddal blas ei gwynt. Yn hallt ac oer ar ôl gwres y dydd. Fel ffroeni lleithder ogof gan wybod bod y llanw yn ei llenwi'n aml.

Tynnodd ei drwyn o sawr y cnawd at wrid y gwin. Fe'i cynhyrfwyd fymryn ond enciliodd rhag y temtasiwn. Onid oedd meddalwch merch fel meddalwch môr? Yn llyfn a phersawrus ac yn dwyll i gyd?

'Tyrd,' ebe'r ferch. 'Mae Mel yn siŵr o fod yn disgwyl amdanon ni.'

Cododd Paul oddi ar y gwely. Pwy a roddai iddo gadernid? Y meddalwch yn mynnu llithro rhwng ei fysedd o hyd.

'Dwyt ti'n malio dim, wyt ti? Fod fy chwaer i'n fam i mi.'

'O! Taw wir. Mae 'nghroen i'n llosgi, yn union fel petai o ar dân. Bydd ddiolchgar nad dy daid yw dy dad, neu rywbeth felly.'

'Be?'

'Llosgach, siŵr iawn. Dyna maen nhw'n ei alw fo pan fydd dy daid yn troi allan i fod yn dad iti. Be ddeudist di oedd o le ar dy dad? Gwyddel ddeudist di?'

'Ia.'

'Twt! Be ydy'r strach? Estron o ynys arall ydy o, dyna i gyd. Does dim yn anghyffredin yn hynny. Mae pobl yn meddwl ei fod o, ond mae'r ystadega yn profi fel arall. Mae dieithriaid wedi bod yn planta mewn gwledydd anghyfarwydd er cyn cof. Dod dros y dŵr ddaru o, dyna i gyd. O fan'cw.'

Ar hynny, cododd Sharon Mair ei bys i gyfeiriad y ffenestr. Tua'r môr. Tuag Iwerddon draw.

Dilynodd Paul gyfeiriad y bys, cyn belled â'r gorwel, o leiaf.

'Fe ddaeth o 'Werddon. Dyna i gyd.'

'Trwy Lerpwl,' ychwanegodd Paul gan chwerthin ar y ddrama fawr a greodd y ferch.

'Wel! Debyg iawn! Trwy Lerpwl y daw popeth i Ogledd Cymru. Wyddet ti mo hynny? Yno y cyfarfu Mel a 'nhad. Tyrd! Hen bryd inni fynd. Sgwn i lle mae Mel am fynd â ni? Os nad yw'n ymddiried ei win gorau inni, siawns nad yw'n fodlon mynd yn reit ddwfn i'w boced i ddod o hyd i le go ddesant i fwyta.'

Ar hynny, trodd ar ei sawdl ac aeth trwy'r drws.

Dihangodd yr wylan rhag y ddrycin. Hen hedfan-asai i'w hafan yn y tir.

Dilynodd Paul y ferch gan adael dau hanner gwydraid o win wrth droed y gwely.

2

Oedodd Paul am ennyd i wynto'r sawrau annymunol a ddeuai o'r ferch a ddigwyddai saethu wrth ei ymyl. 'Oglau'r *hot dog* a'r persawr rhad yn cymysgu'n anghymharus. Caeodd un llygad. Rhythodd ar ei tharged wrth iddo symud. Tynnodd y sbardun a thasgodd y corcyn. Methodd.

'*Come on, mate,*' anogodd y gŵr ifanc a ofalai am y stondin.

'Pob lwc iti rŵan,' cymhellodd Sharon Mair o'i ôl. Y lleisiau yn tynnu ei feddwl oddi ar y drycsawr.

76

Trwy gil ei lygaid gwelai'r ferch â'r persawr rhad yn rhoi ei braich am ganol ei chariad ac yn cerdded i ffwrdd, y *tassle* ar ei siaced ledr egr yn hofran yn y glaw.

Caeodd Paul yntau ei lygad chwith. Anelodd. Tynnodd. Methodd yntau.

'*Hard luck, mate. Better luck next time,*' ebe'r dyn. '*Come on now, me hearties. Try your hand and show your skill at Ralph's World Famous Rifle Range. It's where the S.A.S. do their training or didn't you know?*' Yna edrychodd i fyw llygaid Sharon Mair. '*How about you, love? You look as though you could show him a thing or two about how it's done.*'

Ysgydwodd hithau ei phen yn bendant.

Sbiodd Paul ar y stondinwr yn ei haerllugrwydd. Ei wên yn llachar. Ei gorff yn lluniaidd tan y crys a'r trowsus tyn. Cyhyrau ei fraich yn rhoi cnawd i'r tatŵ a wisgai. Siawns nad oedd hwn eto'n dad anhysbys. Tinceriaid. Sipsiwn. Dynion ffair. Roeddynt oll yn rhan o'r un traddodiad. Yn cario'r un drindod i'w canlyn. Blys. Beichiogrwydd. Bastardiaid. Cyn symud ymlaen. Yfory, trannoeth, tradwy, wythnos nesaf. Ymlaen i ryw slwt arall o dref. I'r ffair a'r fflyrtio newydd.

'Tyrd,' tynnodd Sharon Mair ei fraich. 'Fe gei di well lwc tro nesaf.'

'Sgen i ddim isho lwc, diolch yn fawr.'

'O! Paid â swnian eto. Dim ond rhyw gêma gwirion yn y ffair ydyn nhw. A fedra i ddim dioddef rhagor ar dy rethreg di. Rwy'n *hyper-sensitive*, dyna'r drafferth! Dyna pam wnes i sorri pan ddechreuodd Mel weiddi arna i.'

'Wnes i ddim gweiddi arnat ti.'

'Na. Nid ti. Mel. Ond clyw, rwy'n wlyb ac yn oer. Tyrd i chwilio am dafarn fach dawel.'

'Mi fydd pob man yn orlawn heno, siŵr iawn. Noson ffair.'

Ni fynnai'r ferch wrando ar unrhyw wrthwynebiad i'w chynllun a thynnodd Paul gerfydd ei fraich i gyfeiriad y dafarn agosaf.

'Aros,' mynnodd yntau'n sydyn gan dynnu i gyfeiriad arall.

'O! Be ddiawl sy rŵan?'

'Liam Coles!' atebodd gan gerdded ar ras i'r cyfeiriad arall. Syllodd y ferch i bob cyfeiriad. Roeddynt ar y brif stryd a arweiniai o'r sgwâr, lle safai'r rhan fwyaf o stondinau'r ffair, i lawr at y cei. Gwylltiwyd hi fymryn ond roedd chwilfrydedd yn ei chorddi hefyd. Ni welai'r un wyneb Gwyddelig, yr un wyneb allai fod yn dad.

'Paul!' Rhuthrodd ar ei ôl.

''Y nhad i,' sisialodd Paul yn ddwys gan geisio ymgolli yn y dorf yn ôl yng nghanol berw'r stondinau. Cadwai ei olygon ar y llawr. Camau breision ymysg y sbwriel, sborion, briwsion.

'Dy dad! Dy dad! Dyna i gyd rwy i wedi ei glywed gen ti. Rwy wedi 'laru clywed am dy dad. Dy dad! Dy dad! Dyna'r unig air sy'n dod o dy ena di.'

Ond roedd y gair eisoes yn gnawd. Yn gnawd i'w genhedlu, i'w guro, i'w gnoi. Pam fod pawb yn bychanu ei benbleth? Ei nain. Ei daid. Mel. Sharon Mair. Cydnabyddent oll y cnawd heb fynnu fod ynddo unrhyw iachawdwriaeth. Dim ond gair oedd tad iddynt hwy. Gair a'i gwnaeth yn gnawd heb unrhyw gyfrifoldeb, heb unrhyw gonsyrn, heb unrhyw gydwybod.

'Mi fasa'n dda gen i 'tasa 'nhad i yma,' bytheiriodd Sharon Mair. 'Bydda gobaith cael tipyn o hwyl yma wedyn.'

'Fe gei di ddigon o hwyl efo fi. Ti fynnodd adael Mel ar ei ben ei hun a chrwydro o gwmpas efo fi. Tyrd! Mi awn ni i weld faint o griw sy yn y Drovers.'

Roeddynt bellach wedi croesi'r sgwâr gan adael Liam Coles ymhell o'u holau.

Deuai sŵn a gwres pobl i'w cyfarfod wrth fynd i gyntedd y gwesty. Gallai Paul weld trwy ddrws agored y bar blaen mai ofer ceisio cael diod yno. Aeth i lawr at dalcen y grisiau a chael cip i mewn i'r lolfa fechan. Nid oedd honno'n rhy lawn, barnodd.

'O.K.?'

'Iawn. Fe wnaiff y tro,' atebodd y ferch. 'Dos di i gael lle i eistedd. Fe af inna i nôl diod inni.'

'Na. Mi af i.'

'O! Paid â bod yn gymaint o hen fabi traddodiadol. Rhaid i ferched heddiw ddysgu talu am betha drostynt eu hunain. Dyna mae Mam wedi ei ddysgu i mi, p'run bynnag. Rwy'n gallu newid olwyn car a phlwg trydan a phob math o orchwylion felly. Mi fydda i'n gaffaeliad i unrhyw ŵr. Rŵan, dos i gael lle i eistedd. Mae 'nhraed i'n dal yn llesg ar ôl yr holl haul 'na. Mi gei di brynu'r rownd nesaf, rwy'n addo.'

Cododd dau ddyn o'r gornel a bachodd Paul eu stolion. Ymhen hir a hwyr, dychwelodd y ferch gyda'r diodydd.

'Gad imi dynnu'r gôt 'ma cyn eistedd,' ebe hi.

'Paid â cholli dy limpin, rŵan.'

'Tydw i ddim,' mynnodd hithau. 'Mae gen i bob ffydd yn fy *anti-perspirant*. Ond rwy'n chwys annifyr i gyd. Dan 'y ngheseilia a ballu. Ac mae'r gôt 'ma'n wlyb swp. Fiw imi wisgo dillad gwlyb. Mae arna i ofn dal annwyd.'

Ni wyddai Paul pa un oedd waethaf, yr anhwylder neu'r aroglau drwg. Roedd y ddau yn bosib lle roedd glaw a chnawd a chwys yn cwrdd.

Cododd ei wydryn cwrw at ei weflau a llyncodd mewn tawelwch.

Awr a mwy yn ddiweddarach roedd yn dal wrthi. Yn llymeitian a lled-wrando. Hithau'n barabl i gyd.

'Dy dro di,' meddai'n garedig ar ganol ei llifeiriant.

'Mae'n chwarter i un ar ddeg,' oedd ateb Paul.

'Fe arhosith Mel amdanon ni, paid â phoeni.'

'Ond dydy ddim yn deg iawn gadael iddo aros. Clyw y glaw 'na'n un peth. Mae'n dal i bistyllo bwrw.'

'Wel! Does neb yn disgwyl iddo wlychu. Fe all eistedd yn y landrofer, neu beth bynnag ydy enw iawn y cerbyd 'na sy ganddo fo. Beth bynnag, ti ddewisodd ddod efo fi a'i adael o.'

'Ond chwarae teg! Fe addawon ni fod yn ôl erbyn hanner awr wedi deg.'

'O! Aiff o ddim hebddon ni. Wnâi o ddim meiddio mynd â 'ngadael i yma, waeth pa mor flin fydd o. Fiw iddo. Fe âi Dad yn lloerig ac mae Mel yn gwbod hynny.'

'Llawn gwirionedda, on'd wyt ti? Mae pob gwirionedd rwy'n ei glywed y dyddia hyn yn dod o ena merch.'

'Am mai ni ferched sy'n gorfod dod â chi ddynion i'r byd,' ebe Sharon Mair. 'Mi rydw i'n deall, wir iti. Dy anfodlonrwydd di. Temtasiwn dy dad. Twyll dy nain a dy daid. Hyd yn oed Rhiannon . . .'

'Rhiannon?'

'Ie. Dyna enw dy chwaer, yntê?'

'Ia.'

'Dyna oeddwn i'n ei feddwl. Ac rwy'n gallu deall y sefyllfa o'i safbwynt hitha hefyd. Wir iti!'

'Hollwybodus, on'd wyt ti?'

'Gweld ymhell rydw i, dyna i gyd. Mae gen i ddamcaniaeth mai dynes ydy Duw.'

'Paid â bod mor blydi gwirion!'

'Os Duw yw gwraidd pob bywyd, fel maen nhw'n honni, rhaid mai dynes ydy hi. Y fenyw sy bob amser yn dod â bywyd newydd i fod.'

'Yn natur mae hynny, siŵr iawn. Nid yr holl blydi greadigaeth.'

'Ond be ydy'r greadigaeth ond un talp mawr o natur.'

'Damcaniaeth gen ti am bob dim, on'd oes?'

'Rwy'n ceisio bod â barn ar bopeth. Ffurfio damcaniaeth glir am bopeth cyn imi fynd ymlaen â f'addysg. Wedyn fydd hi ddim yn hawdd iddyn nhw ddylanwadu arna i tua'r coleg 'na, fydd hi? Mae Mam yn dweud y dylwn i wbod fy meddwl fy hun ynglŷn â'r rhan fwyaf o betha cyn mynd i'r coleg. Fydd ganddyn nhw ddim gormod i'w ddysgu imi wedyn. Rŵan, bendith y Tad iti, dos i nôl y ddiod 'na imi.'

'Rwy'n teimlo'n euog.'

'Dyna welliant. Rwyt ti ar fin mwynhau dy hun, mae'n amlwg!'

'O! Cau dy geg!' Gwyddai Paul ei bod hi'n rhy glyfar iddo.

'O! Tyrd wir!' dwrdiodd Sharon Mair gan godi ar ei thraed yn ddramatig. 'Mae'n amlwg nad oes gen ti fwy o fwriad cael diod imi nag oes gen i o fwriad mynd i'r gwely efo ti. Er, petaet ti wedi chwarae dy gardiau'n wahanol . . .'

Simsanodd yn ei harabedd ei hun. Heno roedd hithau'n arddel sancteiddrwydd. Yn dduwies hael. Diod yn rhoi adenydd i'w bendithion. Doeth-inebau'n diferu ohoni.

'Roedd o'n boenus iawn pan ddois i i'r byd,' mynnodd yn wamal ar ôl cyrraedd y stryd.

'Be?'

'Y boen! Does dim disgwyl iti ddeall. Dyn wyt ti. Dwyt ti ddim yn deall y petha 'ma.'

'Dwy i ddim o'r un gwneuthuriad â dy dduw di, mae hynny'n wir.'

'Mae Mam wedi dweud wrtha i fod y boen yn arswydus.'

'Does gen i ddim ots am y boen rŵan,' ebe Paul yn gadarn. 'Dim rŵan 'mod i'n gwbod croth pwy oeddwn i'n ei gadael. Hwrê i boen fy ngenedigaeth. Rown i'n gadael y bitsh ar ôl am byth. O henffych ryddhad!'

'Am be wyt ti'n sôn, dwêd?' holodd Sharon gan dynnu côt ddychmygol amdani.

'Y boen pan gesh i 'ngeni. Ti ddechreuodd sôn am y ffasiwn betha.'

'Sôn am boen y fam oeddwn i, siŵr iawn. Nid y babi. Fedri di ddim cofio poen dy eni, fedri di? Fedri di? Hei! Rwyt ti dipyn bach yn feddw hefyd, on'd wyt ti? Chwarae teg iti! Cadw cwmni i'r hen Sharon Mair. Ffair. Cair. Pair.'

'Be?'

'Chawn ni ddim cymaint o stŵr gan Mel wedyn. O! Mi faswn i wrth fy modd yn cael tships.'

'Be?'

'Be? Be? Be sy'n bod arnat ti? Dafad gorniog wyt ti, mwn. Wel! Paid â phoeni. Rwy i wedi cael magwrfa eangfrydig iawn, iti gael dallt ... a rhag ofn nad oeddet ti wedi sylwi.'

'Be! Be! Me! Me!' brefodd Paul gan watwar ei gwatwar hithau.

'Ble mae 'nghôt i, Paul?' Yna rhegodd yn anweddus. 'Paul, ble mae 'nghôt i?'

'Me! Me! Me!'

'Paul! 'Y nghôt i?'

'Hulpan wirion wyt ti! Ti wedi ei gadael hi yn y Drovers. Fe wlychi di hyd dy berfedd.'

Troes. Roedd y palmant yn rhyfedd o wag.

Yn ôl yn y gwesty aeth Paul trwy'r drws cyntaf ac i mewn i'r bar cyhoeddus.

'Wedi colli dy dafod?' gofynnodd gwraig a eisteddai wrth y bar iddo. Roedd y lle bron yn wag erbyn hyn.

'Na. Côt,' atebodd Paul yn onest.

'Angen côt ar noson fel heno. Disgwyl y gŵr i fy nôl i rydw i.'

'O! Felly. Dydach chi heb ei gweld hi, ydach chi?'

'Mae o'n cael ei dderbyn i'r Orsedd wythnos nesaf, wyddoch chi. Y gŵr. Nid pawb sy'n gwbod be ydy bod yn briod â dyn sy'n medru edrych trwy'r ffenast a dechrau sôn am y tywydd ar gynghanedd. Cynghanedd berffaith, cofiwch. Mor rhwydd â rhechu.'

'Un fer i lawr i fan'ma. A hwd arni . . .'

'Gwisg las.'

'Ia.'

'Dwyt ti heb fod yn fan'ma o'r blaen heno, was,' torrodd y barman ar draws y dryswch.

'Rwy i wedi cerdded i mewn i'r bar anghywir,' sylweddolodd Paul.

'Peth felly ydy bywyd yn aml,' cytunodd y wraig. 'Rwy inna'n dechrau amau 'mod i yn y bar anghywir hefyd. Ond gwell imi aros amdano. Fe wlycha i'n ddiferol os af i i chwilio amdano.'

'Be?'

Roedd hon eto'n feddw. Nid yn hen. Nid hyd yn oed yn ganol oed. Dim ond yn ddigon hen i fod yn fam iddo. Yn ddigon hen, yn ddigon haerllug i fod yn fam iddo.

Camodd Paul yn ôl yn wyliadwrus. Heb droi ei gefn arni. Heb edrych arni 'chwaith.

'Am ei waith elusennol y cafodd o'i urddo,' ebe hi. 'Sy'n damed bach o *cheek*, a dweud y gwir. Mae o'n aelod o dîm *Talwrn y Beirdd* ers blynyddoedd.'

Troes Paul yn frysiog er mwyn mynd trwy'r drws. Yn y cyntedd aeth yn syth ar draws llwybr Mel.

'Dyma chi o'r diwedd. Rwy i wedi hel pob tafarn a gwesty yn y dre 'ma yn chwilio amdanoch chi.'

'Mel!'

'Ble mae Sharon gen ti?'

'Allan. Ar y ffordd i gwrdd â ti yn y maes parcio. Chwilio am ei chôt hi rydw i.'

'Sut gyflwr sydd arni?'

'Un las, reit smart. Ti'n gwbod fasa Sharon Mair ddim yn diodda dim byd rhy siabi.'

'Ei chyflwr hi oedd gen i mewn golwg, y lembo. Nid y blydi gôt.'

Cleisiwyd Paul gan ei lais cras. Troes ei ben mewn poen. Roedd am gael ei dderbyn gan hwn yn anad neb. Mel. Meistr nobl Hafod Dywod. Yr awdur dirfeddiannwr. 'Rwy'n dy garu di.'

Daeth gwraig y darpar brydydd trwy ddrws y bar cyhoeddus yr un pryd, gan ddwyn sylw pawb ac amddifadu Mel o'r frawddeg.

'Be?'

'Dim.' Dihangodd Paul i lawr i'r lolfa i chwilio am gôt y ferch. Nid oedd wedi magu traed. Yno ar silff y ffenestr yr oedd hi o hyd yn belen anniben. Cydiodd yntau ynddi a cherdded yn ôl i'r cyntedd at Mel.

'Iawn?' holodd hwnnw'n ddiamynedd. 'Tyrd inni frysio'n ôl i'r Range Rover.'

'Mae Sharon Mair isho tships,' mynnodd Paul yn benstiff.

'Tships. Ar ôl y pryd 'na brynes i iddi?'

'Mi fedrwn inna wneud y tro efo rhai hefyd,' ychwanegodd Paul.

'O'r gorau,' ildiodd Mel yn ddiamynedd. 'Tyrd â'r gôt 'na i mi a dos di i nôl dy dships. Fe fyddwn ni'n disgwyl amdanat ti. Paid â bod yn hir.'

'Mae'n dibynnu faint o gwt fydd yn y siop dships,' ebe Paul yn haerllug. Wedi ei frifo. Wedi ei feddwi. Wedi ei ddrysu.

Cerddodd gyda Mel ran o'r ffordd. Yna gwahan-asant. Aeth y dyn yn ei flaen i'w gerbyd, y gôt dros ei fraich yn barod i'w throsglwyddo i'r ferch wleb.

Aeth Paul i lawr lôn gul lle roedd siop sglodion y gwyddai amdani'n dda. Honno'n hanner gwag er mawr syndod. Cribodd ei fysedd trwy ei wallt wrth aros yn amyneddgar. Y glaw wedi peidio ond gwlyb-aniaeth cynnes y stryd yn cymysgu gyda gwynt y saim. Sglodion ffres yn cael eu hysgwyd. A thoc roedd dau becyn wedi eu lapio'n gymen mewn papur newydd. Â'r un pecyn mawr cynhwysfawr yn gadarn yn ei afael, treiddiai'r finegr a'r gwres trwy'r trwch o bapur.

'Sori!'

Heb feddwl a heb edrych aethai yn erbyn rhywun ar y palmant tywyll.

'Chi!'

Ei dad. Hwnnw wedi cael sesh go sobor. Y Gwyddel blonegog. Camodd Paul yn ôl yn gegrwth. Nid oedd wedi disgwyl gorfod wynebu'r anwiredd heno. Yr anwiredd o gnawd. Y twyll a'i cadwai yn y crud. Yn fabi diniwed. Heb amgyffred o'i hil. Heb inclin o'i hanes.

O! Dduw mawr! Fel yr oedd yn gwingo wrth orfod wynebu hwn. Hwn o bawb. Liam Coles. Gwyddel o ben draw'r pentref a oedd yn sydyn yn rhan o bopeth a oedd yntau. Bi-dinc! Bi-dinc! Y carnau dros y crud. Ar drot, ar drot! Ar drot i'r dre. Lle roedd y ffair yn yfflon. Drosodd, drosodd. Dros y tresi. Dros y twyni. Drosodd am flwyddyn arall.

Syllent i lygaid ei gilydd. Paul yn sobri a'i fysedd yn

86

llosgi. Y Gwyddel yn cofrestru adnabyddiaeth yn araf, araf.

'Mi wn i pwy ydach chi,' bloeddiodd Paul arno yn Saesneg.

Lledodd llygaid y dyn. Troes yn simsan gan ddod o hyd i'w gydbwysedd.

'Wyt ti'n siarad efo fi, hogyn?'

'Mi wn i pwy ydach chi rŵan,' ailddywedodd Paul.

'Paul?'

'Paul! Ia, Paul! Hawdd ei ddeud o rŵan, y bastard diawl i ti.'

Rhuthrodd ato'n don o ddyrnau seimllyd. Ei goesau'n cicio'n ddiamcan at y dyn. Er mwyn ei frifo. Y mynydd meddal nad oedd maddau iddo.

'Be haru ti'r blydi ffŵl?' bytheiriodd Liam Coles, ei gern a'i goes yn syfrdan gan boen, am ennyd. Wedi ei barlysu i adwaith araf, bloesg.

Ond yna dihunodd yn ddisymwth o'r diymadferthwch.

Anelodd ei ddwrn cadarn at stumog y llipryn. Un arall at ei lygad dde.

Baglodd y llanc yn ôl ar gynnwys y cwdyn papur fu yn ei law. Trawyd ef eilwaith yn ei wyneb wrth i'w dad ddod o hyd i'w nerth cyn dod o hyd i eiriau.

Trechwyd Paul yn y môr o law a saim dan draed. Syrthiodd ar y palmant caled a digroeso. Trwy ei boen a'i waed a'i ddagrau gwelai'r dyn yn codi ei goes i'w gicio. Gwingodd holl gyhyrau Paul. Y straen, y tynhau a'r hen, hen stori yn boenau ynddynt eu hunain. Fel y tyrr y don. Fel y trewir y drwm. Fel y mae darogan yn iau ar y bychan. Y bychan gwlyb a seimllyd yn y bore bach.

'Paul!'

Agorodd ei lygaid mewn anghrediniaeth. Nid oedd y gic wedi cyrraedd. Cyrcydai yn ofer. Ei esgyrn yn carlamu rhag carnau y cernodiau nad oedd hyd yn oed wedi eu hanelu.

Cododd ei law at y gwlybaniaeth coch a mochaidd a redai dros ei weflau. O'r llygaid. O'r trwyn. O'r geg. Ei wallt yn sychu traed y gwynfydedig fu'n taenu eu tywod ar y stryd. Noson ffair oedd hi. Noson dod i gysylltiad â'i dad. Noson cwrdd. Noson dda. Ffair dda. Pam ddiawl nad oedd yr esgid fawr yn gwasgu?

'Ddylet ti ddim bwrw ar draws dyn yn y tywyllwch fel'na,' ebe'r dyn gan adennill ei gydbwysedd ar ôl rhoi ei ddwy droed yn gadarn ar y llawr. 'Cod, was. Tyrd.'

Gwingodd Paul rhag ei gyffyrddiad. Hyd yn oed mewn cyfeillgarwch. Ceisiodd godi ar ei draed. Rheini'n simsan. Ei gorff yn gwegian.

'Chi ydy 'nhad i,' mynnodd trwy'r llifeiriant yn ei geg. 'Mi wn i, 'dach chi'n gweld. Fedrwch chi mo 'nhwyllo i mwyach.'

'Na,' ebe ei dad. Sobrwydd yn hebrwng embaras i'w lais. 'Rwy i wedi . . . Rwy i wedi dy weld di'n tyfu, wst ti. O bell.'

'Ewch i ffwrdd. Rwy'n gwbod y cyfan. Ewch i ffwrdd.'

Pwysodd Paul ei gefn ar fur. Ei fysedd yn crynu yn ei bocedi am hances.

'Hi ddeudodd wrthyt ti? Y bitsh 'na ddeudodd? Doedd hi'n werth dim iti.'

'Paul! Ti sydd 'na?'

Yn sydyn torrodd llais Mel ar draws y distawrwydd rhyfedd a oresgynnodd y tad a'r mab.

'Rwy i'n dod,' ceisiodd Paul leisio wrth lyncu peth o'i waed gyda'i boer. Ond cyn iddo gael cyfle i guddio'r hances goch safai Mel yn ei ymyl.

'Wyt ti'n iawn?' Yna sylwodd ar y llanast dan draed. Y swper a sarnwyd. A'r wyneb a anharddwyd. 'Uffarn dân! Be sy wedi bod yn digwydd?'

'Dim byd i chi boeni yn ei gylch,' ebe Liam Coles. 'Tyrd ti adre efo fi.'

'Paul!'

''Y nhad i ydy hwn,' cyhoeddodd Paul gan geisio dwyn cymaint o goegni i'r sefyllfa ag y medrai. Estynnodd am ei hances unwaith eto a chwythodd ei drwyn yn dda.

'Chi wnaeth hyn?' holodd Mel gan gymryd ei hances ei hun i sychu wyneb y llanc. Daliodd ei afael ynddo wrth i'r corff ifanc wegian yn ymyl y wal.

'Gad lonydd iddo. Gad lonydd i'r diawl,' poerodd Paul, wrth weld Coles yn bygwth.

Camodd y Gwyddel yn ôl gam neu ddau. Cywilydd yn clafychu ei wedd a'i gam.

'Tyrd. Gwell i ni ei throi hi am adre,' meddai Mel. 'Fe af i â ti 'nôl i Hafod Dywod i lanhau tipyn arnat ti. Wn i ddim be ddywed dy fam. Sharon Mair, ble rwyt ti?'

'Yma,' atebodd honno'n ddi-lol. Bu hi'n sefyll yng nghysgod Mel trwy'r amser heb ddim i'w ddweud, am newid. Nid oedd Paul wedi sylwi ar ei phresenoldeb tan yn awr. Wedi tybio mai trindod o ddynion oeddynt yno yn y lôn gul.

'Mae'n ddrwg gen i,' ebe'r tad yn dawel gan gamu'n ôl er mwyn dianc i'r tywyllwch.

'Tyrd ti, Paul bach,' cysurodd Mel ef. 'Rho dy fraich am f'ysgwydd i.'

Gwnaeth Paul hynny'n llawen a chamodd yn araf yn ôl i gerbyd y dyn. Y ferch yn dilyn yn lletchwith wrth gwt y claf.

Rhoddwyd ef i eistedd yn y cefn. Y ferch wrth ei ymyl yn holi oedd o'n iawn bob tro y sychai ei drwyn.

Gwar Mel o'i flaen. Hwnnw'n gyrru. Yn ddoeth a diogel. Yn ôl o'r dref. Y cerbyd yn llawn cysgodion. Rhialtwch oddi allan. Ambell sŵn a sgrech a chwerthiniad. Ond yntau'n saff yng ngherbyd Mel. Sharon Mair eisiau cadw ffys wrth ei ymyl ond yn cadw rheolaeth lew arni ei hun.

Mel yn gyrru. Gyrru. Gyrru. Caru. Caru.

'Diolch i ti,' ebe Paul yn dawel.

Plygodd ymlaen a rhoi ei freichiau am ysgwyddau'r gyrrwr gan rwbio ei foch ar y glust. 'Diolch, Mel.'

Wrth eistedd yn ôl sylwodd Paul fod Sharon wedi troi ei phen i syllu drwy'r ffenestr ar y düwch.

Gwenodd. Ond saethodd y boen yn egr trwy ei gern. Nid marwolaeth oedd hyn. Nid genedigaeth ychwaith. Dim ond gwers ydoedd. Gwers ar noson ffair. Gwers. A Mel yn gyrru.

3

Poen ar ben poen. Y gwreichion ar yr eigion. Yr hylif diheintio yn llosgi'r cnawd tyner.

'Yli, dal yn llonydd, wnei di?' meddai Mel, gan ddal ynddo'n dynn. Ei law yn glên wrth geisio glanhau. Y clais ar lygad dde y llanc yn ddu. Yn hyll o ddu. Dim ond duwiau, nid dynion, allai achosi'r fath ddifrod. Y duwiau'n cwffio ar noson ffair. Raffsgaliwns y greadigaeth am ei waed. Yn ei waed. Holl dduwiau'r elfennau yn hau ymysg meidrolion. Roedd Paul yn rhwym wrth hualau ei hil. Yn cwffio. Cicio. Ceisio codi cynnwrf. Rhyw gecru creulon byth a hefyd.

Tasgodd peth o'r hylif llosg i lawr dros ei wefus a rhegodd.

'Mi fyddi di fyw, siŵr Dduw,' sicrhaodd Mel ef. 'Dyna ti! Be ddeudi di wrth dy fam?'

'Fod rhyw hogia o'r maes carafana wedi 'mosod arna i ar y ffordd adre. Rhywbeth felly.'

'Sut wyt ti'n teimlo rŵan, ynot dy hun?'

'Gwell, diolch. Diolch iti.'

Wrth iddynt siarad roedd Mel wedi cau'r botel hylif diheintio yn ddiogel a'i dychwelyd i'r cwpwrdd o dan y sinc. Daethai ef i'w oed yn ystod helyntion y nos. Yn wrol, bwyllog arwr. Yn dduw, efallai. Ond duw diepil, mae'n wir. Heb adael brych fel broc môr ar hyd yr un traeth. Heb adael dim ond cysur cynnes ar y clais cras.

Perthynai Mel yn fwy i foesau gwâr y mynydd nag i wylltineb annibynadwy'r môr. Aderyn ydoedd. Aderyn craff y nos. Yn sbio'n ddoeth o'r entrych. Nid rhyw anifail chwim ar dir. Aderyn ysgafn, lluniaidd oedd wedi dianc rhag cewyll arferol cymdeithas. Ef a'i gyfryngau. Ef a'i nyth ym mhen draw pellaf y profiad dynol. Dyna lle roedd y duwiau'n llechu. Yn yr encilion. Yn yr egr. Yn yr entrychion enbyd a amgylchynai'r greadigaeth fawr a greodd dyn.

'Mel, gaf i aros efo chdi heno.'

Cododd Mel o'i gwrcwd wrth y cwpwrdd.

'Pam?'

'Ti'n gwbod pam. Rwy isho cysgu efo ti. Plîs. Dysga fi. Dangos imi'r ffordd.'

Cododd Paul o'r gadair ger y bwrdd, ei ben yn dal i'w boenydio fymryn. Roedd yr esgid fach yn gwasgu . . . Roedd gwaed ym mrig yr ewyn. Gwaed twym. Gwaed cynghanedd fawr y cnawd. Gwaed dyn oedd ar ei brifiant.

Cododd ei law i gyffwrdd â gwegil y dyn. Gymaint y carai fod yn rhan o'i gnawd. O'i garu. O'i gael.

'Paid â siarad yn hurt, Paul. Mae'n hwyr. Bron yn un o'r gloch y bore.'

'Mae'n gynnar yn fy mywyd i. Dim ond deunaw ydw i.'

'Mae Sharon Mair i fyny'r grisia.'

'Mae hi wedi cael magwrfa eangfrydig, neu oeddet ti heb sylwi?'

Pan ddaethai honno allan o'r cerbyd ar ôl y daith yn ôl o'r dref, dywedodd ei nos da yn dawel a chwrtais cyn diflannu i gwsg anesmwyth un a oedd wedi gwlychu a llosgi o fewn rhawd un dydd. Aethai i'w gwâl yn anwydog, annifyr feddw gan adael y ddau ddyn yn y gegin.

'Dwyt ti ddim yn gwbod be ti isho,' ebe Mel yn wan. Cydiodd yn y llaw a'i chodi oddi ar ei war. Ond gwthiodd Paul ef yn ôl yn erbyn y sinc yn arw.

'*Come on*, Mel! Pam ddiawl wyt ti'n meddwl 'mod i wedi bod yn dod yma i beintio a garddio a chymysgu sment? Y? Plîs, helpa fi.'

'Na, Paul,' mynnodd Mel gan roi ei nerth ei hun ar waith i dynnu'n rhydd. Camodd draw i'r lolfa er mwyn rhoi digon o bellter rhyngddo a'r llanc.

Hwnnw'n dal i wisgo'r crys a gariai staeniau'r gweir. Yn wrthodedig ac, er yn benisel yn ei boen, yn benstiff o blaid blys.

Daeth draw yn araf i gyfeiriad Mel.

'Be sy? Ydw i ddim yn ddigon golygus iti neu rywbeth? O! Rwy i'n gwbod nad ydw i ar fy nela y funud hon ond mae gen i fy rhinwedda. Mae gen i gorff reit dda. Mi synnet!'

'Paid â dechrau bod yn amrwd.'

'Rhy ffycin llwfr wyt ti.'

Troesai'r duw yn ddyn o flaen ei lygaid. Yn cowtowio i gyfyngiadau cymdeithas.

'Wrth gwrs dy fod ti'n ddeniadol. Nid dyna pam rwy'n dy wrthod di. Mae gen i ormod i'w golli.'

'Gormod i'w golli?'

'Ie. Gormod i'w golli,' cadarnhaodd Mel. 'Rwyt ti dan oedran yn un peth. Mae o'n erbyn y gyfraith. Dim ond prin ddeunaw wyt ti.'

'O! Ia! Deud wrtha i am ddod yn ôl pan fydda i'n un ar hugain wyt ti? Be wyt ti'n awgrymu ddylwn i ei neud am y tair blynedd nesaf? Eistedd ar 'y nhin yn gweddïo na chaf i godiad?'

'Paid â siarad yn wirion. Dwyt ti ddim yn deall. A dwy ddim am iti ddechrau dim y gall gymryd oes gyfan iti ei orffen.'

'Ti'n meddwl dy fod ti'n gwbod yr atebion i gyd, on'd wyt ti? Sgwennu blydi *soap-operas* diddiwedd a gwbod y cyfan.'

'Rwy'n sgwennu petha eraill hefyd,' meddai Mel yn dawel.

'Ond dwyt ti ddim yn byw dim byd arall. Gormod o ofn arnat ti. Mae gormod o ofn arnat ti i neud dim byd ond cynghori ... cynghori bastardiaid bach ar gyfeiliorn. Wel! Mae'r bastard bach yma yn ddigon hen i wybod be sgynno fo isho, wir iti!'

Camodd Paul tuag ato, er mwyn pwysleisio'r ffaith.

'Rwyt ti'n gymysglyd iawn ynglŷn â llawer o betha, Paul,' doethinebodd y dyn. 'Efallai dy fod ti'n dadansoddi dy reddfa yn gywir ond nid fi yw'r un i ddangos y ffordd iti. Mae yna bobl eraill i'w considro. Byddai'r canlyniadau'n rhy gymhleth imi beryglu eu tynnu nhw am 'y mhen.'

'Pa bobl eraill? Duw mawr, rwy i wedi fy amgylchynu gan bobl sy'n poeni mwy am bobl eraill na fi!'

'Sharon a'i thad, dyna pwy. Rwyt ti'n gwbod yn iawn.'

'O! Sharon a'i thad, ai e?' gwatwarodd Paul. 'Pam ddim Jon a'i ferch? Pam Sharon a'i thad? Oes arnat ti ofn hynny hefyd? Ofn cysylltu?'

'Na,' bloeddiodd Mel yn ôl nes tynnu'r coegni o lais a llygaid Paul.

O'r diwedd, roeddynt yn syllu i fyw llygaid ei gilydd a chydiodd Mel yn wyneb y llanc a'i dynnu ato i'w gusanu'n nwydus. Y tafod ar y gwefusau briw. Y croen yn feddal tan y bawd.

Ar ôl y syfrdandod cyntaf cododd Paul ei ddwylo am ysgwyddau'r dyn, ond prin fod ei afael yn dynn pan ymryddhaodd Mel o'i afael.

Gwreichion annisgwyl. Blys brau. Gwobrau gwael oedd yn y ffair.

'Rwy'n dy garu di,' ebe Paul yn hurt.

'Mae'n ddrwg gen i. Ddylwn i ddim fod wedi dy ddrysu di ond rwy am iti ddallt.'

Roedd môr yn llyo traeth. Roedd tatŵ yn symud wrth i gyhyrau gael eu tynhau. Roedd dynion yn twyllo a thresbasu. A holl gêmau meidrolion yn disgwyl iddo ddechrau eu chwarae.

'Plîs, Mel,' meddai a'i lais yn gynnwrf, ei lygaid yn llaith. 'Wna i ddim deud wrth Jon. 'Run gair. Wir. Rwy'n addo. Wna i sôn 'run gair wrth neb.'

'Dos, Paul,' ebe Mel yn bendant.

Troes Paul, wedi ei serio gan siom. Dim fferins ar noson ffair. Dim ond siom a chweir. A'r eiliad nesaf clywyd drws y cefn yn cael ei gau yn glep.

Cerddodd adref o dan yr wybren dawel. Y ddrycin wedi darfod. Codai yfory yn ddiwrnod hafaidd arall. Y glaw yn angof.

Llowciwyd ei ddicter gan wanc y nos am ddüwch. Ac o dan lach y gwreichion llonydd gweddïai Paul am gael boddi yng ngalar ei genhedlaeth. Galar nad oedd am unrhyw alanastr a fu, ond am orfoledd a oedd eto i ddod.

Dim ond sêr, meddyliodd. Dim ond sêr. A llygad wedi cau.

Rhan 3

Y Maddau

1

'O leiaf, mae o fymryn yn well y bore 'ma,' barnodd y fam, gan syllu ar y llygad du fu gan Paul ers rhai dyddiau.

Tynnodd yntau ei wyneb o'i gafael yn ddiamynedd.

'Mi fydd yn iawn. Peidiwch â chadw ffys.'

'Rwy'n dal i ddeud y dylet ti fod wedi riportio'r peth i'r heddlu. Oedd gen ti ddim syniad o gwbl pwy oedden nhw?'

'Na. Dim.'

'Mi fyddan nhw'n saff yn Warrington neu rywle erbyn hyn, mi wranta! Y tacla! Ac wyt ti'n siŵr na wnest ti ddim i'w bryfocio nhw? Rwy i'n gwbod un mor arw am bryfocio wyt ti.'

'Na. Wnes i ddim byd. Rwy i wedi deud wrthych chi ganwaith. Rŵan, gadewch lonydd i'r pwnc. Mae'r clais 'na'n clirio'n iawn ohono'i hun, felly dyna daw arni.'

'Wel! Roedd golwg hyll ofnadwy arnat ti drannoeth yr hen ffair 'na. Lwcus oeddat ti o'r Mr Jones bach 'na yn Hafod Dywod. Yn ôl be ddeudist di, y fo ddaeth a d'achub di rhag rhagor. Wn i ddim pam yn y byd na fasat ti wedi cael gair efo fo echdoe pan alwodd o. Roedd o'n holi'n daer amdanat ti. Gesh i sgwrs hir efo fo.'

'Do, debyg. Awdur sgriptia ydy o. Wedi hen arfer creu deialoga da. Holi amdana i, oedd o?'

'Oedd. Ac wedi cael braw ar ôl be ddigwyddodd. Ond fe ddeudish i wrthat ti ar y pryd. Wn i ddim pam nad oeddat ti am ei weld o.'

'Wel! Rwy'n ddeunaw bellach. Siawns nad oes gen inna hawl i fy nghyfrinacha. Hyd y gwela i mae gan bawb arall yn y byd rai. Wn i ddim pam ddylwn i fod yn wahanol.'

Ochneidiodd ei nain gan hanner diolch nad hi oedd ei fam wedi'r cyfan. Nid oedd yn ei ddeall. Rhiannon—fe allai ei dirnad. Nid oedd bob amser yn hoff ohoni, ond o leiaf fe allai ei deall. Paul, ar y llaw arall, oedd yr un yr oedd hi wedi ei garu fwyaf wrth ei fagu, ond po fwyaf y cariad, mwyaf i gyd y dirgelwch, mae'n ymddangos.

Ochneidiodd eilwaith cyn siarad.

'Cadw i dy ystafell a llyncu mul, fel babi blwydd yn union. Wn i ddim be haru ti, wir. Welish i erioed y fath greadur yn fy myw. Naddo wir!'

'Wel! Fydd dim rhaid ichi ddiodde fy ngweld i am lawer yn rhagor.'

'Un funud, rwyt ti'n treulio pob awr o'r dydd draw yn Hafod Dywod, a'r nesaf, fedri di ddim hyd yn oed bod yn gwrtais efo'r dyn bach.'

'Fel y deudish i, fydd dim rhaid ichi fy niodde i lawer yn rhagor. Rwy'n gadael y twll 'ma unwaith ac am byth.'

Suddodd y geiriau i feddwl yr hen wraig gan adael eu hôl ar dywod ei dealltwriaeth.

'Gadael?'

'Ia. Rwy i wedi bod dan eich traed chi'n ddigon hir.'

'Ond i lle'r ei di?' Rhoes ei chwpan te ar y bwrdd wrth holi. Troes y brecwast syml yn bryd sylweddol yr oedd cryn waith treulio arno.

'Llundain.'

'Llundain! Paul bach, be haru ti? Heb waith. Heb unlle i fyw. Heb unrhyw gymwystera nac arian wrth gefn. Sgen ti unrhyw syniad be sy'n dod i ran pobl felly yn Llundain?'

'Fe ofala i amdanaf fy hun, peidiwch â phoeni. Siawns na fydd rhywun yno fy isho i. Cyfle imi sefyll ar 'y nhraed fy hun. Aeddfedu, fel y mae pawb wedi bod isho imi ei neud ers y pum mlynedd diwethaf.'

'Ond does dim byd iti mewn lle fel Llundain.'

'Wel! Siŵr Dduw! Does dim byd imi yn fan'ma, 'chwaith.'

'O leiaf, mae gen ti do uwch dy ben yn fan'ma. O, mi wn i mai hen dwll tawel ydy'r lle 'ma, yn enwedig yn y gaeaf, ond Llundain! Paid â mynd, Paul. 'Difaru wnei di!'

'Mi fydd yn ddigon hawdd dod yn ôl. A beth bynnag, mae 'na rai eraill wedi dianc o'r twlc 'ma a'i gwneud hi'n iawn.'

'Pwy wyt ti'n ei 'nabod yn Llundain?'

'Eifion y Neptune, yn un. Tair blynedd yn hŷn na fi ydy o ac mae o'n byw yno ers misoedd lawer ... bron i flwyddyn rŵan. Fflat ei hun a phopeth. Ei gwneud hi'n iawn.'

'Ydy, siŵr. Y banc ddanfonodd o yno ac mae'r rheini yn gofalu ar ôl eu pobl yn iawn. Ond gorfod mynd ddaru o, iti gael dallt. Rwy'n cofio ei fam o'n deud. Doedd arno fawr o awydd mynd.'

'Mi ffonia i o. Gofyn am le i aros am noson neu ddwy. Cyfle imi gael fy nhraed 'tana.'

'Hy! Fydd ei siort o ddim am gael dy siort di o dan ei draed.'

'Ond mae'ch arian chi a Dad wedi bod yn ddigon derbyniol yn y Neptune erioed.'

'Wel! Fel'na mae bywyd, Paul bach! Diniwed wyt ti. Dyna'r drafferth.'

Diniwed oedd o! Dyna oedd y drafferth. Nid oedd y diniwed eto wedi dysgu maddau. I'r fro a'i magodd. I'r hil a'i holltodd. I'r holl gynllwynwyr—yn gydnabod a pherthnasau—fu'n gwau eu cyfrinachau yn rhaffau o'i amgylch. Yn ganllaw. I'w gynnal. I'w faglu. I'w grogi.

Lleidr pen-ffordd ydoedd. Yn hongian gerfydd ei wddf o gangen uchel. Y march wedi ffoi. Y tafod yn ddistawrwydd rhemp ar hyd ei weflau.

Nid oedd maddeuant yn ei groen. Rhaid oedd iddo blethu ei raff ei hun. Gwau ei gyfrinachau. Dim ond ar ôl ymdrybaeddu tipyn yn y mwrllwch hwn o fyw y gellid ffrwyno ffieiddiwch, casineb a chwant â harneisiau gwâr fel edifeirwch a maddeuant.

Roedd ar Paul eisiau byw.

2

Croesodd Paul mewn egwyl anarferol o dawel yn llif y drafnidiaeth. Camodd yn hamddenol i ganol y myrdd camerâu a pheli. Y taclau a'u perchenogion yn llenwi'r palmant.

'Paul!'

Troes. O siop fwyd gyfagos deuai Jon, yn llwythog nid gan gamera na phêl ond gan nwyddau tŷ. Bwyd gan fwyaf. Yn ffres, mewn tun ac wedi ei rewi.

'Sut mae?'

'Rydw i'n dda iawn, diolch iti,' atebodd Jon wrth i Paul ddod draw ato dan wenu. 'Clywed dy fod *ti* wedi cael helbulon.'

'Do. Ond rwy'n well rŵan.'

'Oedd y llygad 'na'n edrych yn waeth nag ydy o heddiw?'

'Oedd.'

'Mae Mel a Mair wedi bod yn poeni amdanat ti. Methu deall pam dy fod ti'n cadw mor ddieithr.'

'Ydyn nhw?'

'Heb fod draw ers yn agos i bythefnos, medden nhw. Glywaist ti fod Mair wedi pasio, do?'

'Pasio be?'

'Ei harholiada. Mae hi'n saff i fynd i Fangor. Ond mae'n gadael drennydd, p'run bynnag.'

'Am Fangor?'

'Nage, siŵr. Mis Hydref fydd y coleg yn dechrau. Mynd i Cannes mae hi.'

'I Cannes?'

'De Ffrainc. Ei mam a Greame wedi cyrraedd fan'no erbyn hyn ac wedi gwahodd Sharon Mair allan atyn nhw am fis. Talu iddi hedfan a phopeth. Rwy'n mynd â hi i lawr i Fanceinion ddydd Gwener. Mae'n hedfan i Nice.'

'Braf iawn arni, wir.'

'Wel! Rwy i wedi dweud wrthi mai'r un haul yn union â hwn ydy o, ond isho mynd mae hi, 'run fath.'

'Dwy i ddim yn ei beio hi. Be ddiawl fasa'n denu neb i fan'ma?'

'Y cestyll ... a'r carnedda,' atebodd Jon wrth feddwl yn ddwys a cheisio bod yn ddoniol yr un pryd.

'A'r cariadon,' ychwanegodd Paul.

Gwenodd Jon a dechrau cerdded yn araf trwy'r dorf. Dilynai Paul wrth ei gwt heb wybod yn iawn oedd croeso iddo ai peidio.

'Ydy'r car yn ymyl?'

'Na. Cerdded wnes i. Mae hi bob amser mor anodd dod o hyd i le i barcio. Ond rhaid cyfaddef, doeddwn i heb rag-weld y byddai'r holl betha 'ma mor lletchwith i'w cario.'

'Ga i helpu?'

'O'r gorau. Diolch.'

Aildrefnodd Jon ei faich, gan estyn un llond bag i Paul ar ôl gwneud.

'Ydy hyn yn golygu dy fod ti'n dod yr holl ffordd yn ôl i Hafod Dywod efo fi?'

'Bydd rhaid imi rŵan, bydd?' atebodd Paul yn gellweirus. A chydgerddodd y ddau ar hyd y palmant hirsyth, cul a âi o un pen i'r pentref, lle roedd y siop, y garej, y dafarn a'r fynedfa i'r traeth a'r meysydd carafanau, i'r llall, lle roedd Hafod Dywod, Tyddyn Traeth, y clwb golff a lle roedd y pentref yn darfod a'r ffordd i'r dref yn dechrau.

'Rwy i wedi bod yn meddwl amdanoch chi i gyd,' ebe Paul. 'Mae'n debyg fod Mel wedi deud popeth sy wedi digwydd wrthyt ti.'

'Do, am wn i.'

'Mi welish i'r ddrama 'na gan Mel oedd ar y bocs y noson o'r blaen. Doedd hi ddim yn dda iawn, nac oedd? Y rwtsh mwyaf i ddod i lawr y tiwb ers misoedd.'

'Y tiwb?' holodd Jon gan gogio twpdra.

'Ie. Tiwb y teli, siŵr iawn.'

104

'O! Rwy'n gweld. Rwyt ti'n dechnegol iawn yn dy gerydd.'

'Wnesh i mo'i mwynhau hi, dyna i gyd.'

'Mae hi wedi bod ymlaen o'r blaen.'

'Wel! Mis Awst ydy hi, yntê? Maen nhw'n crafu am unrhyw hen rwtsh i'w ailddangos ym mis Awst. Dim ond y gegin a'r gwely ddaru ni weld. Rwy'n amau oedd ganddyn nhw gyntedd neu sied lo yn y tŷ 'na.'

Gwenai Jon wrth weld y march glas yn prancio wrth ei ymyl. Wal gerrig un ochr iddo. Ceir ar y llall. Y llifeiriant beirniadol wrth ei ymyl.

'Mae Mel yn meddwl mai wrth y sinc neu yn y gwely mae pobl yn cael eu sgyrsia mwyaf difyr,' eglurodd.

'Be am ar y bws?' atebodd Paul. 'Pan fydd pobl yn taro ar rywun dydyn nhw ddim wedi'i weld ers tro. Dyna pryd rydw i wedi clywed y sgyrsia gorau. Ar y bws i mewn i'r dre.'

'Fydd Mel ddim yn teithio ar fysia yn aml,' dywedodd Jon gan deimlo'r baich yn mynd yn drwm rhwng ei freichiau a'i frest.

'Na. Mae hynny'n amlwg,' cystwyodd Paul.

Ni allai pobl lygadu ei gilydd ar y bws, meddyliodd. Na chymell. Na gwrthod. Na chusanu mewn unrhyw fath o gysur.

Ysgytwad annifyr oedd drama'r bws. Helynt. Twrw. Meddwon hwyr y nos yn bygwth y gyrrwr. (Fe wyddai ei dad o'r gorau. Ei dad? Ei dad!) Gwragedd yn holi am gancr hen gydnabod neu'n disgrifio angladd hen gymydog. Dyna oedd ar dafodau'r bws. Bwyd o'r dref a rholiau o bapur wal yn gorwedd yn y côl. Tocynnau a stympiau soeglyd dan draed, yn olion teithiau a sigarennau a ddaeth i'w terfyn.

Holl annifyrrwch ymarferol y daith. Dyna oedd i'w gael ar fws. Nid coethni cyfathrachu rhwng tapiau oer a phoeth. Y llestri gweigion, glân yn ddrych o ddrama sâl. Yn llinyn llac a salw rhwng gŵr a gwraig.

Holl annifyrrwch ymarferol y daith. Dyna oedd i'w gael ar fws. Nid cyfathrebu clyfar rhwng cynfasau lle roedd rhyw yn rhaff hardd i rwymo dynion yn ddagrau o dduw. Y cyhyrau'n mynnu gorchest. Y cleisiau'n magu cariad.

Cerddai Jon yr un cerddediad ag yntau. Chwysai yr un chwys. Meddyliai yr un meddyliau. Rhannent yr un haul. Yr un cerydd. Yr un cerrynt.

Chwibanodd Paul. Ond nid oedd y dôn yn bwysig.

Pan ddaeth Hafod Dywod i'r golwg gallai Paul weld Mel yn dadlwytho sacheidiau o blastar sych o gefn y Range Rover. Cyfarchodd y dyn o bell a chododd hwnnw ei ben gan sychu ei ddwylo yn ei ddillad gwaith.

'Pa hwyl, ddyn diarth?'

'Iawn, diolch. A thitha?'

'Iawn. 'Blaw mi fedrwn neud efo help llaw gyda'r rhain.'

'Dwy i ddim yn fy nillad gwaith heddiw,' meddai Paul.

'Chwarae teg, mae o wedi gneud gwaith go lew yn cario'r stwff 'ma yn ôl i mi,' torrodd Jon ar draws.

'Ew! Wn i ddim. Ydy hynny'n waith go iawn, dwêd?' gwamalodd Mel yn garedig. 'Gwell i'r ddau

106

ohonoch chi fynd i'r tŷ i weld oes modd cael paned o de gan Sharon Mair. Fe wnes i ryw awgrymu dros hanner awr yn ôl y bydda paned yn braf, ond fu 'na 'run golwg o un hyd yn hyn.'

'Iawn,' cytunodd Jon ac yna galwodd ar ei ferch wrth fynd i mewn trwy'r drws cilagored a Paul yn dwt wrth ei gwt.

'Cael dillad yn barod at fynd i ffwrdd ydw i,' ebe hithau gan sgwrio pâr o *jeans* yn egnïol yn y sinc. 'Doedd dim angen gweiddi.'

Roedd hynny'n wir.

'Bobol bach, ma' 'na 'ogla uffernol 'ma,' sylwodd ei thad.

Ffroenodd Paul yntau y drewdod a godai o'r sanau chwyslyd a orweddai'n fryncyn afiach ar ymyl y sinc.

'Wel! Eich 'ogla chi'ch dau ydy o,' ebe Sharon Mair. 'Dy sana di a Mel ydyn nhw. Paul! Sut wyt ti?'

Roedd hi'n falch o'i weld wedi'r cyfan. Aeth Paul draw at y silff lyfrau yn lletchwith.

'Gad imi weld y llygad 'na. Fe ddeudodd dy fam wrth Mel ei fod o'n ddychrynllyd, yn wirioneddol ddychrynllyd.' Cododd ei dwylo o'r swigod, sych-odd hwy a rhuthrodd draw ato i archwilio'r llygad. 'Prin fod o i'w weld,' dywedodd yn siomedig.

'Gwella mae o erbyn hyn, siŵr iawn. Mi fydd wedi clirio'n llwyr ymhen diwrnod neu ddau,' ebe Jon. 'Rŵan, gwna le yn fan'na imi gael gwacáu'r bagia 'ma. Ac mae Mel isho paned, felly tynn y *jeans* 'ma trwy'r dŵr inni gael llenwi'r tegell.'

'Fedra i ddim gneud popeth ar unwaith,' protest-iodd y ferch. 'Rydw i wedi addo golchi'r sana drewllyd 'na. A dyna fydd fy nghyfraniad i i'r gwaith tŷ am y tro.'

'Am byth, ddeudwn i,' ebe Jon. 'Ti'n mynd i ffwrdd ddydd Gwener. A ph'run bynnag, Mel piau'r rhan fwyaf o'r sana 'ma. Fydda i byth yn gwisgo sana ar y tywydd poeth 'ma.'

Sbiodd Paul yn reddfol at ei draed. Roedd y dyn yn droednoeth yn ei sandalau. Dwy droed fawr, esgyrnog yn anadlu yn y gwres a'r drewdod.

Aethai Sharon Mair yn ôl at y sinc. Gollyngodd y dŵr ohono, gan droi'r dilledyn rhwng ei dwylo er mwyn cael y dŵr ohono.

'Sychu prynhawn 'ma. Eirio fory. Fflio off i Ffrainc efo fi drennydd,' ebe hi'n fodlon a chan godi dau beg oddi ar y bwrdd aeth allan at y lein.

'Ga i roi dŵr yn y tegell, 'te?' cynigiodd Paul gan gamu'n wyliadwrus yn ôl at ochr y gegin o'r ystafell.

'Diolch, was,' ebe Jon oedd yn dal i estyn nwyddau o'r bagiau a'u rhoi yn eu priod le. 'Gyda llaw, wyt ti am ddod i'r swper ffarwél nos fory?'

'Swper ffarwél?'

'Ie. I Sharon Mair. Dim byd crand. Dim ond rhyw-beth mewn basged yn y Neptune. Mae croeso iti ddod.'

'O'r gorau, 'ta, diolch.'

'O'r gorau, 'ta, diolch beth?' holodd Mel wrth ddod i mewn. Troes Paul i edrych arno ond dihangodd ei olygon eto cyn i'w llygaid gwrdd. Roedd ei gorff yn lluddedig ond edrychai gryn dipyn yn iau na'i wyneb. Gwnaeth cario'r pwysau yna ef yn barod am de.

Gwthiodd Paul y plwg yn egr i ben ôl y tegell.

'Nos fory,' eglurodd Jon. 'Mae Paul am ddod gyda ni.'

'Os yw Mel yn fodlon, hynny yw,' ebe Paul. 'Wn i ddim a fydd o am fy nghwmni i. Ddim ar ôl noson y ffair.'

Estynnodd Jon am y cwpanau gan gymryd arno nad oedd yn gwrando.

3

'Mae o'n well gen ti, 'ta?' holodd Mrs Jones wrth gymryd ei arian. Ei rownd ef oedd hi i fod ond gwrthodasai'r dynion â gadael iddo dalu. Yn y diwedd roedd Jon wedi estyn papur pumpunt iddo a gadael iddo fynd at y bar i'w nôl.

'Ydy,' atebodd Paul yn swta.

'Mi ddyla fod cywilydd ar y Liam Coles 'na! Rhoi *black eye* i ti o bawb.'

'Sut gwyddoch chi nad cerdded i mewn i ddrws wnesh i?' (Cadwai ei ddig dan reolaeth gan ei fod am ofyn cymwynas ganddi.)

'O! Yn y job 'ma rwyt ti'n clywed pob math o betha. Petha na chlywi di yn unman arall. A ti'n dysgu gwbod be sy'n wir a be sy ddim.'

'Felly wir. Siawns nad ydach chi'n gwbod 'mod i'n gadael, felly.'

'Taw sôn! Na. Doeddwn i ddim wedi clywed hynny. Meddwl mynd ymhell, oeddat ti?'

'Llundain, debyg! Fan'no mae Eifion, yntê?'

'Fan'no roedd o. Ond yn Winchester mae o bell-ach. Mi gafodd o'i symud ddau fis yn ôl.'

'O!' Ni allai guddio ei siom. 'O! Wyddwn i ddim.'

'Doedd 'na ddim rheswm pam y dylat ti wybod. Ychydig iawn rydan ni wedi ei weld arnat ti ers iti gael dy ben-blwydd. Dwyt ti ddim mor hoff o'r lysh 'ma â rhai o'r hogia eraill, wyt ti?'

Gwenodd Paul. Aeth y wraig at y til a daeth yn ôl â'r newid. Pocedodd Paul ef cyn cydio yn y gwydrau.

'Dyma chi,' ebe fo'n ddigalon wrth y tri arall. Aethai dihangfa arall o'i afael. Un ddigon ansicr ac annoeth ar hynny.

'Be am 'y newid i, 'ta?'

'Ia. Tyrd,' cefnogodd Sharon Mair ei thad, ei llais yn fwy chwyrn o lawer na'i un ef.

'O! Ie. Sori,' ffwndrodd Paul yn ei boced am y darnau arian.

'Meddwl ei gadw o i brynu presant ffarwél i hon oeddet ti, neu rywbeth?' gwamalodd Jon.

'Lot gwell gen i iddo roi'r arian yn ôl i ti, Dad, er mwyn i ti gael prynu anrheg imi. Mi fydde gen ti lawer mwy o syniad na Paul sut fath o beth fydde at 'y nant i.'

Edrychodd Paul arni'n chwyrn.

'Rwyt ti wedi rhannu dy ffafra i gyd yn barod, yn do?' ebe fo wrthi. 'Rŵan rwy i wedi sylweddoli. Dy holl sôn di am golli gwyryfdod a derbyn addysg a Duw yn ddynas. Llond trol o gachu ydy'r cyfan, yntê?'

'Dyna ddigon, Paul.'

'Na, gad iddo, Mel,' mynnodd y ferch.

110

'Sgen ti ddim byd ar ôl i'w roi. Haws gen ti ddewis dy dad na 'newis i.'

'Anodd tynnu dyn oddi ar ei dylwyth. Dyna i gyd oedd gen i mewn golwg. Mae Dadi'n gwbod pa fath o beth rwy'n ei licio. On'd wyt ti, Dadi?'

'Dwy ddim yn meddwl mai sôn am anrheg ffarwél y mae Paul rŵan, pwt,' atebodd Jon. 'Yn naci, Paul?'

'Na,' atebodd hwnnw. Sôn am ffresni yr oedd ef. Am ddechreuadau newydd. Syniadau newydd. Ffordd wreiddiol, newydd, iraidd lân o feddwl. O feddwl ac o fyw. Swniai Sharon Mair mor llawn o'i chwyldro huawdl, hunanhyderus, dosbarth canol, ond synhwyrai Paul—o'r diwedd yr oedd yn dechrau synhwyro pethau!—mai sioe oedd y cyfan. Cawl eildwym o chwyldro hen genhedlaeth oedd y geiriau gwag a ddeuai o enau'r ferch. Cawl a dreuliwyd eisoes gan ei mam. Neu gan ei thad. Na, gan ei mam! Gan ei mam, yn bendant. Honno oedd awdur sgript yr hogan. A meddai hithau ar ddigon o ddawn dweud i wneud i'r ystrydeb loywi fel anthem newydd sbon danlli grai.

'Am be wyt ti'n sôn, 'ta, Paul?' mynnodd Sharon Mair. 'Nid dy dad a dy fam eto, bendith y Tad iti!'

'Hy! Un goch wyt ti i siarad.'

'Dyna ddigon, y ddau ohonoch chi,' torrodd Jon ar draws yr ymrafael.

'Na, gad iddo, Dad. Waeth gen i. Fe gofia i haf eleni. Fe gofia i Paul. Fe gofia i'r haul. Fe gofia i'r sgwrsio difyr. Fe gofia i'r ffair. Ac fe gofia i'r record Stevie Wonder 'na sydd i'w chlywed ar y radio ym mhob man.'

111

'A beth am Mel fan hyn, 'ta?' holodd ei thad. 'Efo fo ti 'di bod yn aros, cofia.'

'Wrth gwrs. Ond chaf i mo'r cyfle i'w anghofio fo, gaf i? Sôn am y petha sydd dros dro oeddwn i. Y petha fydd yn diflannu o 'mywyd i ar ôl heno. Dydy Mel ddim ar fin diflannu o 'mywyd i. Wyt ti?'

Ymholodd llygaid ei gilydd yn gadwyn gyfrin ar draws y bwrdd cyn i neb fentro ateb.

Na, doedd Mel ddim yn mynd i ddiflannu o'i bywyd. Byddai ef yn dal yno. Fel ei thad. Fel ei mam. Ynghyd â'i phrofiadau colegol. A'i gyrfa. A'i chyfeillion hen a newydd yng nghyffiniau Bangor. Roedd cylch diogel, sefydlog gan Sharon Mair. I'w chynnal a'i chadw. I'w charu yn ei harabedd annifyr.

'Ac fe gofia i'r gwersi odli, Paul,' ychwanegodd Sharon Mair yn hynaws.

'Ffair, caer, taer, pair, Mair?'

'Dyna ti! Stôl, ffôl, côl; fe ddoi di 'nôl, Paul.'

Ildiodd Paul. Nid oedd yn dannod dim iddi, wedi'r cyfan. Wedi'r cyfan, roedd ar fin diflannu o'i byd.

Gwenodd arni. I Paul, roedd hynny'n gyfystyr â chymod. Nid llwyr faddeuant 'chwaith. Ond y cam cyntaf tuag at anghofio. A throes y wên yn chwerthiniad bach lletchwith a llencynnaidd.

Cyn gadael y dafarn y noson honno bu'n rhaid i Paul fynd i'r tŷ bach a phan ddaeth allan dim ond Mel oedd yno'n aros amdano gan i Sharon a'i thad ddechrau cerdded ar hyd y palmant cul a arweiniai'n ôl i Hafod Dywod.

'Tawel fuost ti heno,' mynnodd Mel.

112

'Dwy i ddim yn meddwl,' anghytunodd Paul yn reddfol. 'Ond diolch am ofyn imi. Roedd yn braf cael dweud ta-ta wrth Sharon Mair.'

'O! Felly!'

'Doeddwn i ddim yn meddwl hyn'na mewn ffordd gas. Mae'n ddrwg gen i nad ydw i ddim yn ddigon clyfar i fynegi fy hun yn iawn.'

'Rwyt ti'n mynegi dy hun yn hynod o effeithiol, ddwedwn i.'

'Be bynnag ydy ystyr hynny.'

'Dal yn chwerw ar ôl y noson o'r blaen, wyt ti?'

'Na,' gwadodd Paul yn bendant.

'Fe ddoi di i ddeall. Er, dwy i ddim mor siŵr o hynny os wyt ti o ddifri ynglŷn â'r busnes Llundain 'ma. Gwastraffu dy hun wnei di yn fan'no.'

'Hy! Gwastraffu fy hun ydw i yn fan'ma, p'run bynnag. Hen ferch y lle 'ma fydda i ar 'y mhen. Dyna wyt ti am greu ohona i?'

'Gwell hynny na chael dy goroni fel brenhines fawr y lle 'ma. Dyna ddigwyddith os ddoi di yn ôl i fan'ma o Lundain.'

'Yna ddof i byth yn ôl, Mel,' ebe Paul yn slic.

'Mae o'n gymaint o wastraff.'

Synhwyrodd Paul fod y dyn yn arafu'n fwriadol rhag iddynt ddal y ddau arall. Ni fynnai yntau hynny a cherddodd yr un camau â'i gydymaith. Yn araf a'r ceir yn gwibio heibio. Noson olau o Awst a golau'r ceir yn llachar. Tŷ haf yn llosgi yn rhywle prin ddwy filltir i ffwrdd.

'Alli di ddim cyhuddo neb o wastraffu rhywbeth rwyt ti wedi ei wrthod dy hun,' mynnodd Paul yn dawel.

113

'Mae gen ti dy broblema. Rwy i wedi ceisio bod o help,' ebe Mel yn ddiymadferth.

Ochneidiodd Paul. Yr arwydd cyntaf o garedigrwydd a chydymdeimlad a ddangosodd tuag at Mel ers tro.

'Do, rwy'n gwbod,' cyfaddefodd. 'Ond dwyt ti ddim yn dallt. Fedra i byth faddau i Rhiannon.'

'Na,' ildiodd Mel gan ollwng ochenaid a oedd llawn mor ddwys a charedig ag un Paul. 'Mae Rhiannon wedi cyrraedd oedran pan na fedr hi ddisgwyl fawr o faddeuant. Ei hanwybyddu hi yw'r iachawdwriaeth fwyaf fedri di ei gneud â hi mwyach.'

'Ond dwyt ti ddim yn dallt ynglŷn â Rhiannon. Does gen ti ddim hawl i fod mor dduwiol. Dwyt ti fawr gwell na hi. Mi wn i bopeth amdanat ti. Mae Sharon Mair wedi deud y cyfan wrtha i.'

'Wnes i ddim honni bod yn well na hi. Gyda'n gilydd mae'n siŵr ein bod ni'n cynrychioli cyfran go dda o bechoda'r byd. Cymer unrhyw ddau berson ac fe gei di gynrychiolaeth go amryliw. Ond paid â barnu ar sail un yn unig. Fydd o ddim yn sampl teg.'

'O! Paid â'u malu nhw . . .'

'Mae braidd yn hwyr yn y dydd i foesa godi eu penna . . .'

'O! Moesa oedd gen ti mewn golwg! Finna'n rhy dwp i sylweddoli. A beth wyddost ti am ffycin moesa, p'run bynnag? Eff Ôl yn ôl fel rwy i'n dallt petha.'

'Paid â chael dy dwyllo. Y rhai sy'n byw yn ôl y safona isaf sy'n aml yn coleddu'r safona uchaf. Ac maen nhw fel arfer yn eu coleddu am y rhesyma cywir.'

114

Ni dderbyniodd Paul wahoddiad Mel i fynd yn ôl i Hafod Dywod am goffi. Yn hytrach, croesodd y ffordd pan gafodd gyfle ac aeth adref i'w wely.

4

Drennydd, daeth llythyr oddi wrth Rhiannon. Roedd hi'n feichiog unwaith eto. Nid oedd gobaith ei hanwybyddu hyd yn oed. Chwarddodd Paul yn afreolus pan ddywedodd ei nain wrtho.

Byddai'n rhaid iddo adael rŵan. Ni allai feddwl am aros yno i weld hyn eto i'w ddiwedd. I feddwl fod Rhiannon yn feichiog eto, wir. Rhagor o waith y felltith ar ei thriciau dirgel, cudd, benywaidd? Neu ai sbeit yn unig oedd hyn? Sbeit yn erbyn y ddynoliaeth am y tro gwael a chwaraeodd cymdeithas arni dros ddeunaw mlynedd ynghynt?

Ie! Tebyg mai dyna oedd wrth wraidd ei ffrwythlondeb. Dianc yn ôl at ei gŵr ar ôl gwynto'n ofer o gwmpas ei chyn-gariad gweddw. Dyna wnaeth hi. Yn awr, beichiogrwydd arall. Arwydd o gyfaddawd arall. Caru. Cario. Penyd pellach. Pwn newydd. Yn hen ac yn llawn o boen. Yr ebol oedd ei chyntafanedig. Siawns nad draenog fyddai'r nesaf. Ei bigau'n rhwygo'r sgarlad gwlyb o'r groth. Roedd Rhiannon am esgor ar holl greaduriaid y greadigaeth a'u henwi oll ar ôl yr apostolion. A chwarddodd Paul yn lloerig yn ei lawenydd. Roedd o newydd ddeall. A dychmygu'r dduwies yn ei thwlc yn drewi wrth genhedlu; yn bonllefain gan boen wrth ollwng ei thalp bach newydd o waredigaeth i ofal y ddynoliaeth. Y creadur

bach! I'w garu a'i gam-drin. Yn sŵn sgrechiadau'r
bitsh a oedd yn fythol boeth. Yn tasgu llaeth wrth
wasgu ei bronnau ac yn ymgreinio'n dragwyddol ar
dwyn o frychau yn ei sŵ bach preifat hi ei hun.

'Mae hi'n methu'n lân â maddau iddi ei hun,'
barnodd Paul yn fuddugoliaethus wrth Jon yn ddiw-
eddarach y bore hwnnw.

Dihangodd o Dyddyn Traeth ar ôl clywed y
newyddion. Anelodd yn syth at Mel.

Rhuthrodd trwy ddrws y cefn gyda brwdfrydedd
un ar fin torri ei fol eisiau dweud.

Sobrodd fymryn a ffrwynodd fymryn ar ei weled-
igaeth. Nid oedd neb yno. Ond roedd sŵn dril i'w
glywed o'r llofft a dau dwll bychan i'w gweld yn un
gornel o nenfwd y lolfa.

'Hylô! Mel!'

Ar ôl iddo weiddi, tawodd y peiriant.

'Hylô?' Llais Jon.

'Fi sy 'ma! Paul!'

'Aros funud. Fe ddof i lawr rŵan.'

'Rown i'n meddwl dy fod ti wedi mynd â Sharon
Mair i gyfarfod yr awyren,' ebe Paul pan ymddang-
osodd y dyn.

'Bu newid cynllunia. Fe ges i gynnig gwaith yn
Lerpwl. Rhaid imi fynd yno'n gynnar bore fory. Felly
fe gynigiodd Mel wneud y siwrne i Fanceinion ac yn
ôl yn fy lle i. Newydd eu colli nhw rwyt ti. Yn y Range
Rover. Mae'r car fenthycies i yn dal tu allan, petaet ti
wedi sylwi.'

'Na. Wnes i ddim sylwi. Fydda i byth yn cymryd
llawer o ddiddordeb mewn ceir a ballu.'

116

'Na. Na finna.'

'Mae hi'n lwcus iawn . . . cael dau 'run fath â chi i edrych ar ei hôl hi. A chael fflio. Dwy i erioed wedi fflio.'

'Fe gei di dy gyfle.'

'Caf, debyg. Rywbryd. Fel popeth arall. Wel! Wna i mo dy gadw di. Mae'n ddrwg gen i 'mod i wedi tarfu ar dy waith di.'

'Na. Paid â mynd,' mynnodd Jon wrth weld y llanc yn anelu at y drws. 'Mae'n bryd imi gael pum munud bach. Rhoi gwifra o dan lawr y stafell wely leia ydw i, er mwyn cael golau draw fan acw. Tri golau, a deud y gwir. Ar wahanol lefela, i greu gwahanol effeithia, ar gyfer gwahanol orchwylion.'

'Gwahanol orchwylion?'

'Ie. Fel darllen. Gwylio'r teledu. Mi fydd reit yn ymyl y soffa a'r silff lyfra, fel y gweli di.'

'O! Gwelaf. Mae o'n swnio'n posh iawn.'

'Un o syniada Mel. Ond mi fydd yn edrych yn ddel iawn ar ôl ei orffen, rwy'n meddwl.'

'Synnwn i fawr.'

Edrychai Jon yn wahanol heddiw. Dillad gwahanol. Effaith wahanol. Gorchwyl wahanol. Am unwaith, roedd golwg trydanwr arno. Edrychai pobl yn wahanol pan oeddynt wrth eu gwaith, mae'n rhaid. Nid oedd Paul wedi cael y cyfle i brofi ai gwir hynny ai peidio.

Rhag rhythu, tynnodd Paul ei lygaid oddi arno a mynd draw i ben arall yr ystafell gan esgus ar-chwilio'r tyllau yn y nenfwd.

'Dwyt ti ddim yn hapus, wyt ti?'

'Dwy i ddim yn sicr,' atebodd Paul. Clywodd sŵn dŵr yn llifo i'r tegell ac yna switsh y trydan yn cael ei wasgu.

'Pum munud ac fe fydd 'na ddŵr berwedig.'

'Mi wrthododd Mel gyffwrdd ynof i,' ebe Paul yn sarhaus.

'Un cyfrifol iawn yw Mel,' barnodd Jon—nid yn wawdlyd nac yn gas ond gyda gwên nad oedd yn hawdd ei deall, serch hynny.

'A thitha'n anghyfrifol?'

'O! Ydw. Un anghyfrifol ydw i ym mhobman,' cytunodd y tad. 'Wrth y bar ac yn y gwely. Ym mhobman ond wrth 'y ngwaith. Cymro bach anghyfrifol fel titha.'

'Sut gwyddost ti hynny?'

'Cenedl fach anghyfrifol ydan ni, yntê?'

'Cenedl anghyfrifol?'

'Ie, siŵr iawn. Mae'n rhaid ei bod hi'n anghyfrifol i fagu cymaint o feirdd, 'blaw am ddim byd arall. Creaduriaid od nad oes ond galw prin amdanyn nhw. Felly pam aflwydd mae isho cymaint ohonyn nhw ar Gymru? Gweld a deud ydy diléit beirdd. Gormod o weld a deud a dim digon o neud sydd 'na yn yr ardal hon.'

'Be gebyst wyt ti isho imi ei neud?' holodd Paul yn dyner cyn ateb yn egr yn ei ben. *Yli, fi ydy dy fwthyn bach to gwellt di. Dy goelcerth anghyfrifol, anghyfreithlon di. Llosga fi. Tyrd! Rho fi ar dân!* Aeth draw ato'n araf. 'Dangos imi beth i'w neud.'

'Mae hi'n methu'n lân â maddau iddi'i hun,' ebe Paul.

Eisteddai Jon ac yntau ar y soffa. Y ddau dwll uwchben yn dal i ddisgwyl trydydd. Yr ail baned o de yn nwylo'r ddau ohonynt. A hithau'n ganol dydd.

'A rhuthro i ddeud hynny ddaru ti?' holodd Jon. 'Newyddion mawr Rhiannon?'

'Ia.'

'Wyt ti'n falch iti ddod?'

'Ydw.' Ei feddwl yn rhy brysur a bodlon iddo allu ateb yn amgenach. 'Dydy o ddim yn ymddangos yn bwysig rŵan. Fod Mam yn feichiog. Cha i mo dy weld di eto, gaf i?'

Rhoes ei law rydd ar ben-glin y dyn. Yr un hen ddillad gwaith. Nid oedd dim yn newid. Ni wasgodd. Nid ochneidiodd. Nid anadlodd am ennyd fach. Nid oedd dim yn newid. Y twll yn disgwyl cael ei dorri. Y gwifrau'n disgwyl cael eu gosod. Y styllod yn disgwyl cael eu hail-lorio. Y mat yn disgwyl cael ei gicio'n ôl dros y cyfan. Dim llanast uwchben. Goleuni oddi tano.

Dyrchafodd ei lygaid i'r nenfwd. Ni ddaeth ateb oddi wrth Jon. Jon oedd yr un nad oedd o byth yn mynd i'w anghofio.

'Rwy'n mynd i ffwrdd wythnos nesaf. Yn bendant.'

'Yna rwyt ti'n iawn,' atebodd Jon o'r diwedd. 'Mae'n debyg na wnei di 'ngweld i eto.'

Trodd Paul i edrych arno ond tynnodd ei law oddi ar ei ben-glin. Roedd un cyffyrddiad yn ddigon ar y tro.

'Wyt ti'n gweld pam 'mod i am fynd o'r lle 'ma?

Dwyt ti ddim yn byw yma trwy'r amser. Siawns na fedri di ddallt?'

'Rwy'n cytuno â Mel,' (y tro cyntaf i'w enw gael ei grybwyll ers sbel) 'mai cael dy ddifetha wnei di yn Llundain.'

'Dwyt ti ddim yn blwyfol fel hwnnw, wyt ti?'

'Os ydy cytuno ag o yn gyfystyr â bod yn blwyfol, yna ydw, rwy'n blwyfol. Braidd yn hen ffasiwn heddiw yw meddwl am Lundain fel dihangfa pobl ifanc. Be sy o'i le ar Gaerdydd, er enghraifft?'

'Mae Caerdydd yn dal yng Nghymru, yn tydy? Er gwaethaf be mae'r eithafwyr rownd-ffordd hyn yn honni,' atebodd Paul.

'Beth am Lerpwl? Mae honno mewn gwlad arall. Mae hi'n wlad arall ar ei phen ei hun yn ôl rhai. Yno y cwrddes i â Mel, wst ti?' Yn awr fod enw Mel yn ôl yn y sgwrs yr oedd yn ôl i aros, mae'n rhaid.

'Ia, rwy'n gwbod,' ebe Paul braidd yn ddigalon.

'Wel! Beth amdani? Mae gynnon ni ffrindia yno. Tŷ reit fawr. Fe allwn i ffonio i ofyn gaet ti aros yno. Dros dro, hynny yw. Fe roith gyfle iti ddod o hyd i le i fyw a swydd. Os na fyddi di'n hoff o'r lle wedi'r cyfan, fydd na ddim drwg wedi'i neud i neb, na fydd? Beth amdani? Gwell a saffach na chysgu'n ryff yn Llundain.'

'Wn i ddim, Llundain rwy i wedi'i ddeud wrth bawb.'

'Wel! Bydd yn hyblyg. Dinas fawr. Dyna rwyt ti'n chwilio amdani, yntê? I ffwrdd o fan'ma. Gobaith am waith. Sefyll ar dy draed dy hun. Wel! Dyma dy gyfle di. Ac fe allwn inna gadw golwg arnat ti. Rwy'n mynd i Lerpwl yn reit aml.'

Gwenodd Paul yn wan.

'Wn i ddim,' ebe fo.

Cododd Jon gan fynd â'r cwpan yn egnïol i'r sinc draw yn y gegin.

'Clyw! Gwna dy feddwl i fyny. Rwy'n mynd i Lerpwl ben bore fory. Fe gei di ddod efo fi os wyt ti isho. Dy gario o ddrws i ddrws. Dim angen ponsio efo trên na bws. Dim hyd yn oed angen iti fynd ar dy feic i chwilio am waith. Gei di fynd mewn steil, o ddrws i ddrws.'

'Fel brenhines,' sibrydodd Paul.

Yn ei ben roedd y darlun yn un difyr. Bywyd yn symud yn ei flaen yn yr un rhigol ymarferol. Te. Trydan. Teithio. Trefniadau ar bob llaw.

Roedd rhythmau ei gorff a'i galon yn ei gludo ymaith. I'r ddinas y daeth ei dad ohoni. Lle gwelsai ef ei hun olau dydd am y tro cyntaf. Dim ond dinas estron. Y pen draw i dwnnel. Lle deuai Jon ar sgowt. I weithio. I weld ffrindiau. I gadw llygad arno.

'O'r gorau,' meddai. Geiriau byr yw geiriau can-iatâd.

'Dos rŵan, 'ta, i drafod y peth efo dy fam a dy dad,' gorchmynnodd Jon. 'Tyrd yn ôl tua phump i ddeud wyt ti'n dal isho dod. Fe ffonia inna i weld oes lle iti.'

'Ond mae hyn mor sydyn,' ebe'i nain gan eistedd ar fraich y gadair.

'Prin. Rwy i wedi bod yn sôn am y peth ers sbel.'

'Wyt, Paul bach, rwy'n gwbod. Ond ofni ydw i mai mynd am nad fi ydy dy fam di rwyt ti. Ac am nad Dad ydy dy dad.'

121

'Na,' protestiodd Paul. 'Wel! Ella! Ond be ydy'r ots rŵan, Mam? Y? Hidiwch befo! Mae'n rhaid imi fynd oddi yma i mi gael bod yn fi fy hun.'

'Be wna i efo dy rŵm di? Dy recordia di? Y posteri? Dy holl betheuach di?'

'Eu cadw nhw, siŵr dduw!' atebodd yn swta.

5

'Rwy i wedi ffonio. Mae popeth yn iawn,' ebe Jon. 'Fe gei di'r stafell fechan yn nho'r tŷ, medden nhw. Does fawr o le i droi rownd yno o'r hyn alla i gofio ohoni, ond mae yno wely sengl a hen wardrob.'

'Diolch,' meddai Paul. Roedd am ruthro draw i ben arall yr ystafell i'w gofleidio. Petai mewn cariad go iawn byddai wedi gwneud, meddyliodd. 'Mae Mam yn fodlon imi fynd,' ychwanegodd, 'mwy neu lai.'

'Dyna bopeth wedi'i setlo 'ta.'

Newidiasai Jon ei ddillad ers i Paul ei weld deirawr ynghynt. Gwisgai drowsus cwta a chrys T. Bu'n torheulo am gyfnod ar ôl gorffen ei waith, meddyliodd Paul. Gallai weld y chwys a'r gwrid cochlyd ar ei groen. Tueddai i losgi yn yr haul. Fel ei ferch yn union. Yr un croen. Yr un gwendidau. Gwyddai Paul bellach o ble y daethai hithau. Bu dechrau ar ei ymdrybaeddu yn hanfodion bywyd. Roedd ganddo yntau dad.

'Ofn mai mynd oherwydd Rhiannon ydw i, mae hi,' ebe Paul braidd yn ddigyswllt. 'Fy mam, hynny ydy.'

'Diwrnod mawr iddi. Cael gwbod fod un ŵyr yn gadael. Un arall ar y ffordd.'

'Mynd a dod.'

'Mae'r holl lwc mae pobl yn ei dymuno iti ar dy enedigaeth yn dod gyda'i gilydd ambell ddiwrnod. I gyd gyda'i gilydd. Ar garlam gwyllt.'

Ar garlam. Ar garlam. Drot, drot i'r dre. I'r ffair a 'nôl cyn amser te.

'Ddymunodd neb lwc dda i fi pan gesh i 'ngeni,' cwynodd Paul.

'Hoffet ti ddiod? Lawr yn y pentre?'

'Iawn. Ond rhaid imi fynd adre eto gynta. I bacio at fory. Ac roedd Mam yn gofyn am y cyfeiriad. Ac roedd hi'n deud wrtha i am ddiolch iti'n iawn am dy garedigrwydd.'

'Rwy'n meddwl dy fod ti wedi gwneud hynny'n iawn, yn do?'

'Be ydy'r cyfeiriad yn Lerpwl 'ta?'

'Tri deg chwech, Plymouth Road. Yli, fe sgwenna i fo i lawr iti.' A ffwndrodd Jon ymysg pentwr o bapurau a adawsai Mel ar y bwrdd bach ger y soffa.

'Hidia befo. Fe alla i gofio hynna'n hawdd. Plymouth Road.'

'A'r rhif?'

'Tri deg chwech.' Ac yna meddyliodd am eiliad. 'Deunaw ddwywaith. Digon hawdd cofio hynny, yn tydy?' A gwenodd y ddau.

Roedd Paul yn dysgu'n gyflym.

6

Tybed ai'r ddiod olaf hon yn ei gynefin oedd y bedydd a olygai ei fod yn oedolyn? (Teimlai fel petai newydd ymuno â rhyw glwb bach dethol a chyfrin.) Nid hon oedd ei ddiod gyntaf o bell ffordd. Ond wedyn, roedd baban hefyd wedi cael ei drochi â dŵr cyn iddo gael ei fedyddio. Nid oedd dim yn newydd yn y weithred, dim ond yn ei harwyddocâd.

'Fydd Mel yn gweld chwith?' gofynnodd.

'Am be?' ymatebodd Jon.

'Am iti drefnu imi fynd i Lerpwl. Doedd o ddim am imi adael y lle 'ma, wst ti.'

'Nid Mel sy ddoetha bob amser. Gwranda di ar dy Wncwl Jon. Rwyt ti am fynd, on'd wyt ti? Dim yn dechrau cael traed oer, wyt ti?'

'Na. Dim ffiars o beryg.'

'Ond mae dy nerfa di'n dechra gwegian? Chwys oer yn torri ar dy wegil di?'

'Na,' gwadodd Paul gyda gwên hyderus.

'Fuost ti erioed yn Lerpwl o'r blaen?' holodd Jon yn dawel, fel un oedd yn dal yn sicr mai ef oedd yn iawn.

'Naddo.' Bu'n rhaid i Paul gydnabod. 'Ond mi ddof i i ddysgu fy ffordd o gwmpas. A dallt eu hacenion nhw. Duw a ŵyr, mi ddylai hynny fod yn ddigon hawdd!'

'Ella mai ti sy'n iawn,' ildiodd Jon.

Ar ôl gorffen y peint olaf gadawodd y ddau y Neptune. Allan ar y lôn fawr, gofynnodd Paul gâi o fynd yn ôl efo Jon i Hafod Dywod ond dywedodd hwnnw fod yn rhaid iddynt godi'n gynnar yn y bore.

'Fe af i adre dros y traeth 'ta,' ebe Paul braidd yn bwdlyd. A chan addo bod yno'n brydlon, croesodd y lôn am y llwybrau a arweiniai at y twyni. Fe welai Jon eto yn y bore. Fe welai Lerpwl. Fe brofai fywyd newydd. Fe brifiai yn ei brofiad.

Yna'n sydyn, tynnwyd y gwynt o'i hwyliau. Rhaid oedd iddo gerdded gyda thalcen Stable Garage er mwyn mynd i lawr heibio i'r ddau dŷ haf a'r maes carafanau a chyrraedd y twyni.

Yno, yn union wrth dalcen ei diriogaeth, roedd Liam Coles yn codi hen bapurach a sbwriel arall.

Clywai'r llanc ei galon yn curo. Ac yna clywodd ei enw. Roedd y dyn wedi ei weld er iddo droi'n llechwraidd i lawr y llwybr. Canllath arall a buasai'n saff o'i olwg.

'Paul! Wyt ti'n iawn?'

Fferrodd yntau.

'Ydw, diolch,' atebodd Paul ar ôl meddwl am ennyd. Trodd hanner cam. Sôn am ei lygad yr oedd yr hen walch, ei dad. Fe wyddai Paul o'r gorau. Ond roedd ganddo glustiau yn ogystal. Clustiau, trwyn, tafod, dwylo. A'r cyfan yn gweithio'n dwt i'w ryfeddu, roedd newydd ddarganfod. Ei iechyd a fwydai ei hyder yn awr.

'Rwy i wedi bod yn pryderu amdanat ti,' ebe ei dad.

'Hy!' wfftiodd Paul. 'Mi ddylwn i fod wedi'ch riportio chi i'r heddlu, yn ôl Mam.'

'Mae'n ddrwg gen i. Rwy i wedi teimlo'n ofnadwy . . . yn euog.'

'Do, wir? Mae hynny'n loes calon imi.'

'Paid â dal dig,' ymbiliodd y Gwyddel. 'Wedi cynhyrfu roeddwn i. Noson ffair, yli! Synnu dy weld fel'na. Doeddwn i ddim yn meddwl dim drwg, a dyna'r gwir iti, ar fy llw!'

Daliodd Paul ei dir. Nid oedd llwon yn golygu rhyw lawer iddo. Roedd yn rhy ifanc i addef dim hyd waed.

'Wyt ti'n maddau imi?' ychwanegodd y tad.

Yn hyderus, cododd Paul ei olygon yn araf nes i'w lygaid gwrdd â llygaid y llall. Cododd ei ysgwyddau'n ddidaro.

'Rwy i wedi bod yn cadw llygad amdanat ti o gwmpas y pentre 'ma,' aeth y tad yn ei flaen. 'Ond weles i 'run cip ohonat ti ers dyddia. Dyna ofid ydy o wedi bod! Does gen ti ddim syniad cymaint cywilydd rwy i wedi'i deimlo.'

Daeth acen estron i glyw Paul. Un wahanol i'r acen Wyddelig ar Saesneg ei dad. Wrth gwrs, roedd honno hefyd yn estron! Yr iaith o ran arall o'r ynys. Yr acen o ynys arall.

Ond acen amgen eto oedd hon a ddeuai i'w glyw. Criw o ymwelwyr yn cerdded heibio ar eu ffordd i lawr at y carafanau. Camodd Paul yn nes at ei dad er mwyn eu hosgoi.

'Fe fydd eich cywilydd chi'n brifo llai ar ôl imi fynd o'r ffordd ac o'r lle 'ma. Rwy'n gadael y lle 'ma am byth fory. Am Lerpwl.'

'Am Lerpwl?'

'Does dim gwaith yma.'

'Wel! Rŵan! Rown i wedi meddwl . . . ond mae'n debyg 'mod i'n rhy hwyr.'

'I be?'

126

'Ddoi di i fyny i'r fflat efo fi am funud?' cynigiodd Liam Coles yn garedig. Roedd acen Wyddelig ei Saesneg ar ei chryfaf pan fynnai fod yn glên.

Petrusodd Paul. Nid oedd arno ei ofn. Roeddynt ill dau yn bwyllog heno. Ill dau yn teimlo'n lletchwith. Ill dau yn sobor. Ond a oedd unrhyw werth i hynny?

Ni fuasai wedi derbyn y gwahoddiad, oni bai mai heno oedd ei noson olaf yn y lle.

Aeth y dyn â'i fag sbwriel o dan do'r garej. Clodd y drws ac arweiniodd y ffordd i fyny'r grisiau i'w gartref.

'Eistedd,' meddai wrth arwain ei fab i mewn i'r lolfa. Bu Paul yma o'r blaen, ond nid i eistedd. 'Gymeri di gwrw? Mae gen i beth yn y rhewgell. Neu wyt ti wedi cael digon am un noson?'

'Na. Fe gymera i gàn os oes 'na beth,' atebodd Paul, gan edrych o'i gwmpas a sylwi cymaint mwy o anhrefn oedd yno o'i gymharu â'r tro diwethaf iddo fod yno.

Aeth Liam Coles i'r gegin a daeth yn ôl â dau gàn o gwrw a dau wydryn.

'Diolch,' ebe Paul, wrth iddo dderbyn un o bob un. Bachodd ei fys yn y fodrwy a thynnodd y metel yn ôl yn ffyrnig. Sŵn ffrwydrad bach. A'r cwrw'n ffres wrth gael ei arllwys i'r gwydryn.

'Pa fath o waith sy gen ti mewn golwg?'

'Wn i ddim. Jest gwaith. Ennill pres. Wn i ddim.'

'Rwy'n fodlon cynnig gwaith iti yma, was. Fe gei di dy dalu'n iawn. Hyfforddiant. Ond rwy'n rhy hwyr yn cynnig, on'd ydw i?'

'Mi wnes i ofyn am waith rai misoedd yn ôl. Ond roedd fy rhyw i'n rong bryd hynny.'

'Nid y fi oedd ar fai bryd hynny. Wyt ti ddim yn sylweddoli'r amgylchiada erbyn hyn? Fy chwaer yng nghyfraith sylweddolodd pwy oeddat ti. Hi oedd ddim yn fodlon. A Doreen newydd farw. O! Dduw mawr, roedd y cyfan yn amhosibl!'

'Roedd o'n fwy amhosib byth i mi, yn actio fel idiot bach y pentre a minna heb wybod dim.'

'Fe ddylen nhw fod wedi dweud wrthyt ti ynghynt. Dy fam a dy dad. Mae plant yn tyfu mor gyflym heddiw. Wyddwn i ddim faint wyddat ti, na dim. Doeddwn i erioed wedi torri gair â thi tan y diwrnod hwnnw y doist ti yma i ofyn am waith. Rown i'n gwbod p'run oeddat ti, wrth gwrs, ymysg plant y pentre. Rown i wedi dy weld di'n chwarae ar y traeth gyda'r plant eraill. Rydan ni'n gallu gweld y traeth yn iawn o'r bedrwm. Ac o'r gegin, roedd Doreen yn gallu dy weld ti'n aros am y bws ysgol bob bore allan ar y lôn fawr a hitha'n golchi llestri brecwast yn y sinc.'

Oedodd y dyn i lyncu tipyn o'i gwrw.

Yfodd Paul yntau yn y tawelwch byr. Nid oedd erioed wedi sylwi ar y syllu fu arno yn ystod ei dyfiant.

'Fedrodd hi erioed faddau iti, was.'

'Maddau i mi! Hy! Be oedd ganddi i'w faddau i mi. Prin imi erioed dorri gair â hi.'

'Na. Ond roeddat ti'n bod. Ac roedd hynny'n ddigon. Fedren ni ddim cael plant, ti'n gweld. Hi a fi. Ac roeddat titha'n ei hatgoffa hi o hynny bob dydd, allan yno'n aros yn y gwynt a'r glaw. Dyna a'i lladd-odd hi, rwy'n meddwl. Pymtheng mlynedd y buodd hi'n marw yn y lle 'ma. O! Mi wnesh i bopeth fedrwn

128

i i geisio cael maddeuant ganddi ond doedd o ddim yn ei chroen hi, rywsut. Gwerthu'r ceffyla. Agor y garej. Cynnig symud oddi yma fwy nag unwaith. Mi wnesh i'r cyfan. Ond doedd hi ddim isho hynny. Cadw i'r fflat 'ma wnâi hi. Yn fud a di-wên. Roedd arni gywilydd drosta i ar y dechrau. Roedd hi'n deud fod pawb yn y pentre'n gwbod pam fod Rhiannon Tyddyn Traeth wedi mynd i ffwrdd. Ond ar ôl y blynyddoedd cyntaf doedd hi ddim hyd yn oed yn dannod hynny imi. Doedd dim ond y syllu morbid dros lond sinc o lestri budron. Y surni a'r methu maddau. Gobeithio, Paul bach, na ddoi di byth i wbod beth ydy byw efo dynas oer.'

Llyncodd Paul fwy o gwrw, wedi sobri wrth sylweddoli fel y cafodd ei warchod.

'Mae Rhiannon ni yn feichiog eto, wyddoch chi. Fe glywson ni bore 'ma.'

Gwenodd Coles.

'Dyna iti ferch yw hon'na!'

'Ydy hi ddim yn troi arnoch chi? Yn taflu ei hun ar bawb a phopeth?' poerodd Paul o glywed ymateb didaro'r dyn.

'Does dim digon i'w gael iddi, mae hynny'n wir. Fe fyddai hi'n dod y ffordd hyn yn nyddia'r stabla bob bore Sadwrn a min nos ar ôl 'rysgol yn aml hefyd. Botyma ei blows yn agored. Sgertia i fyny fan hyn . . . Ond be haru fi yn atgyfodi hen hanes fel'na i ti o bawb.'

Am ennyd, bu gwên yn bywiogi'r gwrid ar ei wyneb. Roedd y cofio yn llawn cellwair a'r dweud yn ddim byd ond jôc. Am ennyd. Yna difrifolodd.

129

Cofiodd. Am bwy roedd o'n siarad. Â phwy roedd o'n siarad. A throes y llanw llon yn drai lleddf.

'Fe ddywedodd hi bopeth wrtha i amdanoch chi'ch dau yn carlamu i'r twyni. Y cesig a'r meirch yn gweryru dros eich bustachu blysiog chi. Ei nicars hi'n rhacs rhwng y brwyn a'r ewyn.'

'Dyna ddwedodd hi wrthyt ti, y slwt ddigywilydd?'

Cododd Liam Coles wrth ofyn ei gwestiwn, wedi ei sbarduno gan gyfaredd cof a'r awydd cryf i wadu celwyddau.

'Nid felly roedd hi?' gofynnodd Paul. 'Sut cesh i 'nghenhedlu 'ta?'

'Yr Arglwydd Mawr! Oes gen ti ddim cywilydd, fachgen? Gofyn y fath beth i mi. Rho daw arni wir!'

'Mae'n ddrwg gen i.' Camodd Paul yn ôl yn wyliadwrus. 'Rown i wedi anghofio. Mae eich Eglwys chi'n magu mwy o gywilydd mewn pobl na hyd yn oed y capeli. Nid 'mod i'n credu mewn dim, dalltwch. Wnesh i erioed gredu mewn lwc, heb sôn am ffydd. Ond po fwya'r cywilydd, mwya'r euogrwydd. A pho fwya'r euogrwydd, mwya'r maddau. Fel'na mae ei dallt hi, yn ôl be wela i.'

'Y blydi Eglwys! Y blydi Fam Eglwys! Paid â sôn wrtha i am y bitsh.' (Gwenodd Paul. Roedd yr acen Wyddelig ar Saesneg ei dad yn gwneud y condemniad yn rhan o ryw gydio anesmwyth wrth y gorffennol.) 'Dda gen i mo'r Eglwys. Heb fod ar gyfyl yr un ers pan own i'n ddim o beth—ar wahân i briodasa ac angladda, wrth gwrs. Dydy'r Eglwys yn ddim byd ond sefydliad mae dyn wedi ei godi er mwyn creu esgusodion dros y ffaith fod yn rhaid iddo ddioddef yn y byd 'ma. Maen nhw'n sôn am gwymp dyn ond rydw i'n gwbod pa mor isel y gall dyn ddisgyn o'i wirfodd ei hun. Nid cael cwymp wnaeth dyn. Codi o'r gwaelodion wnaeth o yn y lle cyntaf ac yn ach-lysurol mae'n dewis mynd yn ôl at ei wreiddia. Dyna'r gwirionedd mae'r Eglwys yn dewis ei wisgo â Lladin a ffenestri lliw. Maen nhw hyd yn oed wedi troi'r wyrth o faddeuant yn ddefoda chwerthinllyd.'

'Dydw i ddim yn deall achos dwy i ddim yn Gatholig,' torrodd Paul ar ei draws.

'Na. Wel! Gwyn dy fyd di, 'machgen i,' ebe Liam Coles ar ôl pendroni ennyd. 'Rwy i wedi diodde trwy f'oes gyda gormodedd o ddefoda a phrinder dybryd o wyrthia. Rown i'n gweddïo bob nos ar i Rhiannon beidio â bod yn feichiog. Ond mi roedd hi. Gweddïo yw un o'r ychydig ddefoda plentynnaidd rwy'n dal i'w gofio. Yn wahanol i Doreen. Roedd honno'n gamstar arnyn nhw i gyd. Ar ei phen-glinia. Ar wastad ei chefn. Doedd y defoda'n peri dim trafferth iddi. Ond eu bod nhw i gyd yn ddiffrwyth, wrth gwrs. Ond fe âi hi trwy'r defoda a'r dyletswydda i gyd yn ddiffael a gweddol ddirwgnach. Y gwyrthia oedd y tu hwnt iddi. Wrth ei phadera ac yn ei phriodas. Y gwyrthia oedd ar goll.'

'Pam 'dach chi'n ei chasáu hi gymaint? Am ei bod hi wedi fy nghasáu i?'

'Dwy i ddim yn ei chasáu hi,' protestiodd y tad, fel petai wedi ei synnu gan y syniad. 'Doedd hitha ddim yn dy gasáu di. Dy isho di oedd hi.'

Roedd ar bawb ei eisiau. Helwyr yn ymrafael amdano. Ar ras. Ar garlam. Am gydio yn y cnawd. Am feddiannu'r enw. Am hawlio lle yn yr ach. Am fod piau'r botwm bol.

'Isho iti fod wedi dod o'i chroth ei hun roedd hi,'
aeth Liam Coles yn ei flaen. 'Does dim cymaint â
hynny o gasineb pur yn y byd 'ma. Cenfigen a
chwerwder a siom, a hyd yn oed cariad ei hun yw
llawer o'r hyn rydyn ni'n ei gamgymryd am gasineb.
Fe ddylwn i wybod. Rwy i wedi eu gweld nhw i gyd
yn y tŷ hwn.'

'Rwy i am fynd rŵan,' ebe Paul yn ddisymwth.
Roedd wedi gorffen ei gwrw. Nid oedd rheswm arall
dros aros.

'Wel! Does gen i ddim hawl dy gadw di,' ildiodd y
tad. 'Wnei di ddim anghofio ein sgwrs fach ni, wnei
di? A'r cynnig o joban. Mi fydd wastad yn dal i aros,
rwyt ti'n gwbod hynny, on'd wyt ti?'

'Iawn,' atebodd Paul braidd yn llipa.

'Yli! Aros funud. Rwy i am iti gael rhywbeth.'
Rhuthrodd y dyn o'r ystafell a phan ddaeth yn ôl
roedd ganddo bum papur decpunt.

'Cymer y rhain,' ebe fo. 'Fe fyddan yn help iti gael
dy draed o danat.'

Estynnodd Paul ei law amdanynt. Gwyddai y dylai
eu gwrthod a gwneud araith yn llawn egwyddorion
ac esgusodion. Ond roedd yn rhy ifanc i ymwadu
rhag dim ar dir daliadau.

Sibrydodd ei ddiolch ond aeth y geiriau ar goll yng
nghlec y papurau crin yn cael eu plygu i boced ôl ei
jeans.

Hwn oedd ei dad, wedi'r cyfan. Diau y dôi i
dderbyn ambell buntan ar gownt llawer llai.

'Does gen i ddim hawl i gadw gafael arnat ti,' ebe'r
tad, 'ond cofia fod croeso iti yma pan ddoi di'n ôl.'

'Ddof i byth yn ôl,' ebe Paul er bod argyhoeddiad yn dechrau gadael y frawddeg honno wrth iddo ei hailadrodd yn ormodol.

'Doedd gen i ddim hawl i dy hitio di fel'na. Doedd gen i ddim hawl i ddisgwyl iti siarad â mi fel rwyt ti wedi gneud. Rwy'n falch dy fod ti'n ddigon hen i ddeall rŵan.'

'Doedd gennych chi ddim hawl i fod yn dad imi, 'chwaith.'

'Ond rwyt ti'n ddigon hen i ddeall y gall fod gen ti fwy nag un tad on'd wyt ti?'

'Hy! Mi wn i am y tad yn y nefoedd a'r tad sy gen i yn Tyddyn Traeth. Pa un ydach chi, deudwch? Fy nhad a'r had? Fy nhad yn y tywod? Fy nhad yn y garej? Fy nhad fu'n rhedeg ar ôl hogan ysgol?'

'Gad lonydd i Rhiannon rŵan. Mae hi wedi gadael i ti fynd ers llawer dydd. Rhaid i titha adael iddi hitha fod.'

'O.K. O'i roi o fel'na, mi fydd yn bleser.'

'Rhaid iti beidio â bod yn rhy llawdrwm arni.'

'Pam, yn eno'r tad?'

'Am ei bod hi'n chwaer iti, 'blaw am ddim byd arall.'

'A 'dach chitha'n dad?'

'Beth bynnag ydw i iti, pa mor chwerw bynnag wyt ti tuag ata i, cofia 'mod i yma bob amser. Os byddi di mewn trwbl rywdro. Angen arian. Neu waith. Mi elli di droi ata i. Wyt ti'n deall? Alla i byth wneud iawn, ond ...'

'Ond rwy'n mynd.'

Camodd allan ac at ddrws y ffrynt. Yna gofynnodd a gâi o ddefnyddio'r tŷ bach.

Syllodd yn ddwys ar ei bidlen wrth biso i'r bowlen. Y dŵr yn llifo'n swnllyd, stemllyd i lygad y ffynnon. Tynnodd y croen yn ôl nes ei fod yn brifo. Chwyddodd y bidlen fymryn rhwng ei fysedd a rhoes hi heibio'n lletchwith.

'Nos da, 'ta,' meddai Liam Coles pan gamodd allan drachefn i'r landin. (Roedd hwnnw eisoes wedi agor y drws allan iddo. Ymwadu â greddfau a gofidiau oedd piau hi heno.)

'Nos da,' ebe Paul.

'A chofia fi at Lerpwl.'

Clywodd y drws yn cau cyn iddo gyrraedd gwaelod y grisiau.

Gwag oedd y tai haf yn ôl y golwg. Heb dân. Heb wely. Draw wrth y carafanau clywai rialtwch y dieithriaid. Ond cryfach na'u clegar hwy oedd dwndwr y môr ac yn hytrach na chroesi'r twyni, penderfynodd fynd i lawr at y môr ei hun.

Bellach, ymbellasai oddi wrth y synau dynol oll.

Dim pridd. Dim clai. Dim graean. Tywod ar y llaw chwith. Yn dwyni diniwed yr olwg. Heb fod arnynt ôl troed na dyn nac anifail.

Tywod hefyd dan draed. Y tywod gwlyb hwnnw nad yw i'w gael ond pan fydd y llanw ar drai. Tywod y gall siâp troed suddo iddo.

Yfory, meddyliodd, byddai ei fabinogi yn parhau.

Nid ef oedd y llanc cyntaf i groesi traeth ar ei ffordd adref. Nid ef fyddai'r olaf, ychwaith.

WEST GLAMORGAN COUNTY LIBRARY

1		25		49		73	
2		26		50		74	
3	10.97.	27		51		75	
4	12 9+	28		52		76	
5		29		53		77	
6		30	3 97.	54		78	
7	6	00	31		55		79	
8	5·94	32		56		80	
9		33		57		81	
10		34		58		82	
11		35		59		83	
12		36		60		84	
13		37		61		85	
14		38		62		86	
15		39		63		87	
16		40		64		88	
17		41		65		89	
18		42		66		90	
19		43		67		91	
20		44		68		92	
21		45		69		COMMUNIT SERVICE$	
22		46		70			
23		47		71		WGCL 111 LIB/008	
24		48		72			